Die Autorin Elisabeth Schnack, geb. 1899 in Joachimsthal/Mark Brandenburg, hat nach einer Ausbildung als Lehrerin englische Philosophie in Genf studiert und später selbst gelehrt. Seit 1950 lebt sie als Übersetzerin in Zürich. Studienreisen nach Irland, USA und Kanada. Mehr als 200 Übersetzungen. Herausgeberin von Anthologien der amerikanischen, irischen, australischen und südafrikanischen Literatur.
Literaturpreis der Bayerischen Akademie der Schönen Künste; Ehrendoktor der Dublin University; Johann-Heinrich-Voss-Preis für Übersetzung von der Deutschen Akademie für Sprache und Dichtung u. a. Auszeichnungen.
Elisabeth Schnack ist Herausgeberin und Übersetzerin der ›Sämtlichen Erzählungen‹ von Katherine Mansfield.

Elisabeth Schnack

Katherine Mansfield

Eine biographische Skizze

Fischer
Taschenbuch
Verlag

Veröffentlicht im Fischer Taschenbuch Verlag GmbH,
Frankfurt am Main, September 1988

Der Aufsatz von Elisabeth Schnack
›Katherine Mansfield. Eine biographische Skizze‹
wurde der zweibändigen Ausgabe
›Katherine Mansfield. Erzählungen‹ entnommen:

Umschlaggestaltung: Buchholz/Hinsch/Hensinger
Gesamtherstellung: Clausen & Bosse, Leck
Printed in Germany
ISBN 3-596-29289-1

NACHWORT

von Elisabeth Schnack

Katherine Mansfield – Eine biographische Skizze

Etwas erschaffen, was es vorher nicht gab – das ist Katherine Mansfield mit ihren Erzählungen gelungen. Nachdem die englische Kurzgeschichte dem verheerenden Einfluß eines O. Henry entronnen war und sich von der starren Form der kommerziellen amerikanischen Short Story gelöst hatte, blieb der Einfluß der englischen Realisten Kipling, Hardy, Conrad, Wells und Galsworthy auf längere Zeit maßgebend, bis auch diese Form zu erstarren drohte. Wie Kipling als Führer der älteren Generation englischer Erzähler angesehen wird, so wirkte Katherine Mansfield in noch weit größerem Ausmaß als Bahnbrecherin auf die jüngere, die Nachkriegsgeneration. Sie befreite die englische Erzählung aus der Haft des Realismus und erschuf einen völlig neuen Stil. Ihr Anliegen war nicht so sehr das *plot*, die ›Fabel‹ im herkömmlichen Sinn. Aber wenn ein Plot manchmal nicht offen zutage liegt, heißt das noch nicht, daß es nicht vorhanden ist. Auch ein Schluß ist immer vorhanden – ein Mansfieldscher Schluß. Auf impressionistischer Manier erreichte sie ein Maximum nicht nur an Stimmung, sondern auch an Bedeutung. Eingeschobene Grübeleien nehmen den ›inneren Monolog‹ ihrer Nachahmer vorweg. Ihre Details verdankt sie einer unerhört starken Beobachtungsgabe und Aufnahmefähigkeit: ihr Auge sieht alles, ihr Ohr hört alles, mit allen Sinnen nimmt sie schon von frühester Jugend an die Eindrücke ihrer Umwelt in sich auf und bewahrt sie Jahrzehnte hindurch in einem erstaunlich getreuen Gedächtnis. Diese sinnenhaften Eindrücke erfahren in ihren Erzählungen eine magische Beseelung und Vergeistigung.

In ihren größten Erzählungen ist jeder Satz bedeutungsschwer. Die unscheinbarste Bemerkung darf nicht ›überlesen‹ werden, will man in den vollen Genuß ihrer Kunstwerke kommen und die ›Botschaft‹ erfassen, die sie mitzuteilen hat. Ein ›well‹ oder ›hm‹ kann eine lange Charakterbeschreibung ersetzen. Ebenso aufmerksam muß man den Gefühlen nachgehen, auf denen ihre Stories aufgebaut sind: der Ironie, der Grausamkeit, dem Mitleid, der Bewunderung und dem Zorn. Ihre Ausdrucksweise hat zur Zeit der Entstehung ihrer Geschichten völlig neu und frisch und erfrischend gewirkt. Mit scheinbar einfachsten Mitteln beschreibt sie scheinbar mühelos einen ›Ausschnitt Leben‹ – und erreicht es, den Leser an ihren Erkenntnissen teilhaben zu lassen und ihn zu überzeugen.

Das Neue in ihren Stories war nicht nur die Übermittlung einer so stark empfundenen Umwelt, sondern auch die Eigenheit in der Aufeinanderfolge der Ereignisse. Katherine Mansfield fügte sich nicht dem Gesetz der zeitlichen Folge, sondern dem des inneren Erlebens. Von Rückblenden zu sprechen, erscheint da fast als Lästerung gegenüber einer Kunst, die alles Geschehen ineinander verwebt, die abbricht, um neue Fäden aufzugreifen – Geschichten, aus Erlebnisfragmenten zusammengesetzt und doch zu einem Muster gefügt wie das scheinbar starre, stets wechselnde, ineinanderrieselnde Muster eines Kaleidoskops.

Unter diesen Erzählungen gibt es viele, die den Leser rein atmosphärisch bezaubern, und andere, die ihn verblüffen, amüsieren, erzürnen, und wieder andere, die zu drängenden Fragen Anlaß geben. Man möchte mehr über die Entstehung dieser Kunstwerke erfahren, über ihren Schauplatz und den Zusammenhang mit dem Leben und Wesen ihrer Verfasserin, da sie fast alle autobiographischen Hintergrund haben. Katherine Mansfields Leben war in der Tat überquellend reich und vielseitig – erfüllt von innig erlebten Herrlichkeiten wie auch von abgründig durchlittenen, oft selbstgeschaffenen Qualen. Erst in den letzten Jahrzehnten sind sachliche Beschreibungen ihres Lebens erschienen, die mit der sentimentalen Legende aufräumten, welche gleich nach ihrem Tode auf Grund von allzu zahlreichen Veröffentlichungen ihres zweiten Mannes, John Middleton Murrys, entstand: daß sie nur eine engelhafte, ätherische Dulderin sei und nicht von dieser Welt. Trotz aller Enttäuschungen und Schmerzen sah Katherine das Leben als Gnadengeschenk an, in welchem es für sie ein einziges Ziel gab: ihre Kunst mehr und mehr zu vervollkommnen.

So läßt sich auch ihre sehr komplexe Persönlichkeit verstehen: als die einer sensiblen, feinnervigen *Künstlernatur*, die nicht mit der gleichen Elle gemessen werden darf wie die Natur eines nichtschöpferischen Menschen. Wichtig sind noch zwei weitere Handikaps in ihrer Entwicklung: erstens die jedem Schwindsüchtigen anhaftende emotionale Exaltiertheit und Unausgeglichenheit, die ihn von den höchsten Höhen des Lebensgefühls in Abgründe der Verzweiflung stürzen läßt, wobei es gerade bei Katherine als bewundernswert auffällt, wie selbstironisch sie sich in die Hand zu nehmen lernte, um leidenschaftlichen Wutausbrüchen nicht mehr nachzugeben – zum Besten ihrer Kunst.

Katherine Mansfield
in Barons Court, 1913

Der andere Aspekt zur Deutung ihres Wesens ist das Außenseitertum, zu dem sie nicht nur als Künstler, sondern auch durch ihre Geburt in den Kolonien ›verurteilt‹ war. Nie konnte sie das Gefühl überwinden, Außenseiter zu sein, wie es zwangsläufig entstehen mußte, wenn man unter Engländern lebte, die – für uns Festlandeuropäer kaum faßlich – jeden nicht in England geborenen Engländer als *colonial-born* bezeichnen und behandeln. Doch schon in ihrer frühesten Jugend, wenn auch unter anderen Bedingungen, war Katherine die Außenseiterin, wenn nicht gar die Verfemte, die sich gegen den konventionellen Rahmen auflehnte, den ihr Elternhaus für unabdingbar hielt. Bei ihrem starken Liebesbedürfnis ergab das oft schmerzlichste Situationen. Auf der einen Seite standen ihr alle Reichtümer einer intensiv empfindenden Künstlerin zu Gebote, andrerseits stieß sie während ihres kurzen Lebens überall auf Behinderungen, Hemmnisse, Frustrierungen und Hintansetzung. Mit einem

Mut und einer Entschlossenheit sondergleichen nahm sie den Kampf auf, den ihr Künstlerehrgeiz gebot.
Als Kathleen Mansfield Beauchamp verlebte sie ihre Kindheit in Wellington in New Zealand, geboren am 14. Oktober 1888 als Tochter des Geschäftsmannes und Bankiers Harold Beauchamp und seiner Frau Annie Burnell Dyer. Katherines Vater stammte aus einer alten Londoner Silberschmiedfamilie, war aber selbst schon bei den Antipoden zur

Frau Beauchamp,
die Mutter Katherines

Welt gekommen, geboren 1859 auf den Goldfeldern Australiens. Mit neunzehn Jahren war er in Wellington in New Zealand in eine Importfirma eingetreten, lernte die Schwester seines Kollegen kennen, ein Mädchen von auffallend vornehmer Schönheit. Er heiratete sie 1884, nachdem er sechs Jahre auf sie gewartet hatte. Er war das Urbild eines strebsamen Kaufmannes, der bald Teilhaber der Firma und später Direktor der Bank of New Zealand war und schließlich geadelt wurde. Er galt als einer der sechs reichsten Männer New Zealands. In Katherines New-Zealand-Stories tritt er uns als der haushälterische, sparsame und herrschsüchtige Familienvater entgegen, doch im Grunde war er von großer Verletzlichkeit und seiner Frau ergeben. In der Erzählung *An der Bucht* erscheint er idealisiert, ehrlich und leicht verwundbar. Mit seinem Pflichtgefühl plagte er seine Familienangehörigen und besonders seine dritte Tochter Katherine, die seinem Ideal nicht entsprach und anders als die übrigen fünf Geschwister war. Seine Frau Annie war von den häufigen Geburten ermattet, und ein chronisch schwaches Herz und Gelenkrheumatismus ließen ihr die Aufgaben der Mutterschaft unerträglich erscheinen. In ihr Merkbüchlein schrieb Katherine Jahre später: ›Ich werde immer mehr wie Mutter: aus Menschen mache ich mir nichts.‹ Das war eine Folge körperlicher Schwäche. In Katherines Erzählungen wirkt die Mutter meistens als zarte Invalidin, die allem Familientrubel und der täppischen Liebe ihres ›Neufundländers‹, das heißt ihres Mannes, entfliehen möchte, oder die abends im nachtdunklen Garten dem Geheimnis der Aloe nachsinnt, in deren Krone sie ein Schiff zu sehen glaubt, das sie entführen wird. Doch als sie 1918 an einer Operation starb, die ihr als lebensgefährlich bekannt war und der sie sich mutig unterzog, schrieb Katherine über ihre Mutter: ›Nie habe ich jemanden gekannt, der jeden Augenblick seines Lebens so bewußt und umfassend auslebte wie sie. Ihre Heiterkeit war nicht weniger echt, weil sie einem Mut entsprang, der es mit allem aufnahm. Dadurch wurde mir erst richtig klar, daß ich Mut und Kampfgeist und Haltung über alles liebe.‹

Kurz vor Katherines Geburt ließ sich Harold Beauchamp in der Tinakori Road sein erstes Haus bauen, ein erdbebensicheres, quadratisches, weißgestrichenes Holzhaus mit rotem Wellblechdach und Buntglasscheiben in der Haustür, in das auch Annies Mutter, Margaret Mansfield Dyer, und Annies jüngere Schwester Belle Dyer einzogen – zum Glück für die ganze Familie, besonders aber für die kleine Katherine, deren Eltern ein paar Wochen nach ihrer Geburt für mehrere Monate nach England fuhren. Katherine hatte gerade Gelbsucht und blieb der Pflege ihrer ›Grandma‹ überlassen, die auch die beiden älteren Schwestern hütete: die 1885 geborene Vera und Charlotte Mary, 1887 geboren und ›Chaddie‹ gerufen.

Ihr halbes Leben verbrachte Katherine in New Zealand. Die größte Zeit davon in Wellington, einer typischen Kolonialstadt, eingebettet in Hügel oberhalb des schönen Hafens – unter dem Namen Wilton wird die Hafenstadt reizvoll in der Story *Daphne* beschrieben. Viele Erzählungen Katherines

Katherine Mansfields Geburtshaus, Tinakori Road 11, Wellington

sind in Wellington und Umgebung angesiedelt und spielen sich, leicht erkennbar, dort ab, allerdings dichterisch umgestaltet und verwandelt. Die drei Hauptschauplätze sind die Stadt mit den Wohngegenden Tinakori Road und Fitzherbert Terrace und der Esplanade am Meer, sodann das Bergdorf Karori und schließlich die Buchten und Strände auf der andern Seite des Hafens. In ihrem Tagebuch schrieb die Neunzehnjährige verbittert von engen, armseligen, regennassen und schmutzigen Holzhäusern – bis auf das stumpfe, gewöhnliche Rot der Blechdächer ohne Farbe – und von der langen Kette grauer Berge, die unwegsam und gespenstig aufragen. Doch das schrieb sie in den schlimmen achtzehn Monaten, in denen sie sich nach London zurücksehnte. In der Geschichte *Ein Geburtstag* wird eine Straße – die Tinakori Road – in der deprimierenden Häßlichkeit eines Sonntagmorgens aufgezeigt, und in derselben Story kommt eine Häuserzeile vor, wo eine Hängebrücke eine Schlucht überspannt, in die zum Ärger des Helden (Katherines Vater) ständig Abfall geworfen wurde.

Sir Harold Beauchamp, der gefürchtete und doch auch geliebte Vater, kann im Urbild eines Frühwerks, des unvoll-

Fitzherbert Terrace 47, Wellington

endeten Romans *Juliet*, erblickt werden: da liest man von einem hochgewachsenen, grauhaarigen Mann mit Bart und hervorstehenden blauen Augen, großen, ungeschickten Händen und einer zur Fülle neigenden Figur. In einem Brief an Murry, ihren zweiten Mann, beschreibt Katherine 1913 ihren Vater als heiter und sehr liebevoll. Sie fühlte sich vor ihm wie ein kleines Mädchen, und sie hätte Lust, ihm auf die Brust zu hämmern und zu rufen: ›Du sollst mich lieben!‹ Die Entfernung hatte Katherines Einstellung zu ihrem Vater bereits gemildert, ebenso das Bild der Mutter, von der man im *Prélude*, im *Puppenhaus*, im *Gartenfest* und anderen Erzählungen einen fast schockierenden Eindruck empfängt. Sicher kann man diese Frauengestalt nicht vollständig mit Katherines Mutter gleichsetzen. Katherines Schwestern regten sich später auf, sie habe ihre Mutter verzeichnet, ohne zu bedenken, daß Katherine ihre Heldinnen von Geschichte zu Geschichte anders gestaltete – dem Thema und ihrer Vision entsprechend.

Wie sehr sie an ihrer Großmutter hing, geht ebenfalls aus den Erzählungen hervor, auch aus einer Stelle im Tagebuch von 1922, als Katherine sich am Geburtstag der Großmutter plötzlich an eine alte Photographie erinnerte und sich fragte, wo sie hingeraten sein könne. Ein Photo, wo ›sich die Liebste, Beste als ganz junge Frau zärtlich an die Schulter ihres Mannes lehnt und das Haar sanft gescheitelt trägt: ich liebe es, ich würde es so gern wiederhaben! Erstens, weil Mutter es mir schenkte, als sie mich noch liebte, und zweitens – viel wichtiger –, weil es so ganz meine liebe Großmama ist, so jung und reizend, mit diesem Arm, diesem kindlichen Ärmel mit dem Samtbändchen!‹

Daß Katherine ihre Eltern und die Großmutter, ihre Schwestern und Tante Belle und das irische Faktotum Pat in ihren Stories lebendig werden ließ, hatte sie für ihre Pflicht gehalten. Nach dem Tode ihres Bruders Leslie heißt es in ihrem Tagebuch: ›Ich muß die schöne Zeit nachvollziehen, als wir beide am Leben waren. Ich wünsche darüber zu schreiben, und er wünscht, daß ich es tue.‹

Doch die beschützende Liebe ihrer Großmutter schien ihr verloren, als sie nicht länger das Nesthäkchen war. Es gibt ein Bild, wo die Großmutter ein zartes Baby auf dem Schoß hält (die früh verstorbene Gwen). Katherine erzählt darüber: ›Meine Großmutter flüsterte: »Komm und schau dir deine kleine Schwester an!« Ich ging auf Zehenspitzen durchs

Tinakori Road, Wellington

Zimmer und sah ein rundes Köpfchen mit einem goldenen Haarschopf und einem schneeweißen Gesicht mit geschlossenen Augen. »Ist sie lebendig?« fragte ich. »Natürlich«, sagte Großmama. »Sieh doch, wie sie meinen kleinen Finger festhält!« – »Wird sie mit dem Puppenhaus spielen?« – »Mit der Zeit, ja«, erwiderte Großmama, und ich freute mich. Das Puppenhaus hatte uns Mrs. Heywoodges geschenkt, es war ein schönes Puppenhaus mit Veranda und Balkon und zwei Schornsteinen. »Sie heißt Gwen«, sagte Großmama. »Gib ihr einen Kuß!« Ich bückte mich und küßte sie auf den goldenen Haarschopf. Aber sie kümmerte sich nicht drum. Sie lag ganz still und hatte die Augen geschlossen. »Jetzt geh und gib deiner Mutter einen Kuß!« Aber meine Mutter wollte meinen Kuß nicht. Sehr müde und schmächtig lag sie in ihren Kissen und aß einen Brei. Am nächsten Tag erschien ein komischer kleiner Mann, dessen Kopf in einem schwarzen Sack steckte. Er sagte: »Jetzt!« zur Großmutter, und ich sah, wie sich ihr Gesichtsausdruck veränderte, als sie sich über die kleine Gwen beugte. »Danke!« sagte der kleine Mann. Das Foto hing nachher über dem Kamin des Kinderzimmers. Auch das Puppenhaus ist darauf zu sehen.‹

Es war das erstemal, daß Katherine sich verlassen fühlte, weil ein andres Wesen ihren Platz bei der Großmutter einnahm.

Die Großmutter war immer der Schutzengel gewesen. Im alten Haus an der Tinakori Road, dessen Eindunkeln Kezia in *Prélude* erlebt, seufzt der Wind und ängstigt sie, und ein Angsttraum aus der Welt der Erwachsenen quält auch das *Töchterchen* der gleichnamigen Story.

Im Jahre 1903 kaufte Katherines Vater ein Grundstück mit vierzehn Morgen Land und einem stattlichen, wenn auch etwas alten Haus, das sich ein ehemaliger Premierminister hatte bauen lassen. Es lag im Bergdorf Karori, 250 Meter über dem Meer. Er hatte es der Gesundheit seiner Kinder wegen gekauft, freute sich aber auch, wie es in *Prélude* heißt, an dem billigen Erwerb. Das Haus, an dem die Poststraße vorbeiführte, hieß Chesney Wold. Zerklüftete, mit Ginster überwachsene Hügel und der ›Busch‹ gleich hinter dem Haus schlossen es ein. Vor der Zufahrt wuchs die wiederholt

Chesney Wold, Karori

beschriebene und bestaunte Aloe. In ihrem Merkbüchlein schildert Katherine das Haus als ein weitläufiges Gebäude mit Erkern und Veranden. Um in sein Büro zu gelangen, ließ sich der Vater in einem Einspänner, den der Ire Pat Sheehan kutschierte, in die Stadt fahren. Mit diesem Faktotum war die ganze Familie – weil er sich auf seine kuriose irische Art auch den Kindern widmete – so zufrieden, daß sie ihn nur betrübt scheiden sahen, als es ihn zu den Goldfeldern trieb. Die Kinder besuchten die Dorfschule von Karori, ein einfaches Haus mit nur drei Zimmern. Im *Gartenfest* liest man, welchen Standesdünkel Katherines Eltern und andere ›bessere Leute‹ hegten: aber da es weit und breit nur die eine Schule gab, mußten sie die Kinder zunächst einmal dorthin schicken, wo sie mit den Kindern des Milchmanns und der Waschfrau zusammentrafen. Im Schatten der Kiefern auf dem Schulhof erzählten die Burnell-Kinder vom *Puppenhaus*. Die kleine, mit Katherine identische Kezia trat eines Morgens mutig für den Jungen des Milchmanns ein, als er bestraft werden sollte, weil er während des Unterrichts eingeschlafen war: sie erklärte der Lehrerin, daß der Junge schon um drei Uhr aufstehen und Milch austragen müsse. Katherine war also bereits mit jungen Jahren, anders als die

andern Kinder, ein schwieriges Kind und angeblich schwer zu verstehen und träumerisch, während sie im Grunde nachdenklich war und scharf beobachtete. Sie rebellierte auch gegen die Eltern, nahm sich Pat zum Verbündeten und ritt einfach davon, denn Reiten war für sie dasselbe wie Gehen. Heimlich litt sie aber darunter, daß ihre Schwestern, die süß und sanft waren, ihr vorgezogen wurden.
Die Wälder hinter Karori waren damals noch dichter ›Busch‹, und in ihrem späteren Leben wurde sie durch Kiefern an New Zealand erinnert. An Murry schrieb sie 1920 von der französischen Riviera, daß sie die dortige Gegend mehr und mehr liebe, weil ihr alles so tief ins Bewußtsein dringe wie einst in Karori. ›Wenn ich dort spazierenging und mich unter eine Kiefer legte und durch die Zweige zu den Wolkenschleiern aufblickte, kam ich ›mit der Kiefer‹ nach Hause – verstehst du?‹

In der Nähe von Chesney Wold wohnte im Monkey-Tree-Haus der Schwager von Katherines Mutter, Frederick Waters, mit seiner Frau und den Söhnen Pip und Rags, ein freundlicher, musikalisch sehr begabter Mann, der kinder-

Der Karori Store, 1893

In der Schule von Karori, 1898, von links: Vera, Charlotte Mary, Kathleen, Jeanne, Leslie

lieb war und mit den Kindern Scharaden veranstaltete, geschäftlich aber kein Erfolgsmensch war. Als Jonathan Trout in der Story *An der Bucht* legt ihm Katherine wunderbar weise Worte in den Mund. Er ist der denkbar größte Gegensatz zu Harold Beauchamp – kein Wunder, daß er Katherines Lieblingsonkel war.

Als Katherine (oder Kass, wie jedermann sie nannte) fünf Jahre alt war, reiste die Großmama mit den drei kleinen Mädchen zum erstenmal nach Anikiwa, der Farm und dem Stammsitz der Familie inmitten von ausgedehnten Koppeln, wo die Kinder dann alljährlich die großen Ferien verbrachten. Sie gelangten mit dem Picton-Dampfer dorthin, um ihren Großvater väterlicherseits zu besuchen, der nach einem rastlosen Wanderdasein in Australien endlich in New Zealand zur Ruhe gekommen und seßhaft geworden war. Übers Meer zu fahren war ein herrliches Abenteuer. Der Busch erstreckte sich in üppigem Wildwuchs mit Baumfarnen und anderem Gehölz bis zum Wasser hinunter.

Anikiwa war der alte Maori-Name und bedeutete Grotte der Seevögel. Kass konnte sie in ihrem Bett hören, wenn sie vor Tagesanbruch zu singen begannen. Die drei Schwestern spielten mit ihren Vettern, die entweder auf der Farm arbeiteten oder mit ihnen fischen und baden und rudern gingen. Kass war dabei immer die Stillste. Sie war ein Dickerchen und wirkte auf die andern eher langweilig, aber wenn der Großonkel oder ihre Tante Eithel von den eingeborenen Maori erzählte, leuchteten ihre großen moosbraunen Augen auf. Die alte Armena arbeitete für die Familie: sie war die Tochter eines Stammeshäuptlings von bestem Eingeborenenblut. Kass unterhielt sich gern mit ihr, wenn sie die Wäsche bügelte. Armena hing sehr an Tante Eithel und wollte ihr die Besitzurkunden ihres Landes schenken, doch das ließ der Großonkel nicht zu, weil er es unrecht fand, den Maori etwas wegzunehmen. Eines Tages aber brannte das alte Maori-Gehöft ab und mit ihm die Urkunden. Später fiel das wertvolle Land in die Hände von weißen Spekulanten. Auf der Rückreise von Picton bekamen sie einmal sogar den sagenhaften weißen Delphin zu sehen, der riesengroß und bläulichweiß vor dem Bug des Dampfers einhertollte.

Als Katherine zehn Jahre alt war, zog die Familie wieder nach Wellington, diesmal in die Tinakori Road mit der

Von links: Vera, Marie, Kathleen, Jeanne

Nummer 75. In ihrem Tagebuch beschrieb Katherine 1916 das Haus. Es war der Schauplatz für das *Gartenfest* und stand weit von der Straße zurück, ein großes, weiß gestrichenes Haus mit Balkons und Veranden, die sich auf schlanken Pfeilern um das ganze Haus zogen. Vorne senkte sich der Garten in Terrassen und Steintreppchen von der Veranda bis zu der mit Kapuzinerkresse bewachsenen Mauer, in die drei Pforten eingelassen waren: eine für Besucher, eine für Lieferanten und ein eisernes Tor mit Torflügeln, das nie benutzt wurde und quietschte und knarrte, wenn Bogey und ich darauf hin- und herschwangen. Die Tinakori Road war keine besonders vornehme Straße – alle möglichen Leute wohnten dort. Natürlich gab es auch ein paar gute alte Häuser wie das unsre, die sich in verwilderten Gärten versteckten, denn bestimmt würde der Grund und Boden eines Tages äußerst wertvoll sein, wenn man, wie Vater sagte, ›genug kaufte und abwartete.‹ Viele Jahre später schrieb Katherine über eine andre Straße an ihren Vater: ›Seltsam, wenn einem plötzlich einfällt, wie man am Lambton Quay eine Nummer des *Native Companion* kaufte und sich unter einen Laternenpfahl stellte, wo der liebe Leslie dann nachsah, ob meine Geschichte abgedruckt war.‹

Als die Familie Beauchamp wegen der Schule Karori verließ und wieder nach Wellington zog, besuchte Katherine drei Jahre lang das Städtische Mädchengymnasium. In der Schulzeitung wurde ihre erste Geschichte unter dem Namen Enna Blake abgedruckt und von den Herausgebern belobigt. Ab Juni 1900 besuchten die drei Schwestern Miss Swainsons Privatschule an der Fitzherbert Terrace, die als vornehmer galt. In der Story *Ein schwaches Herz* hofft ein junges Mädchen, in die vornehme Schule aufgenommen zu werden. Dort gab Katherine eine – handgeschriebene – Schulzeitung heraus. Sie interessierte sich weniger für den Unterricht als für die Lehrerinnen, die sie später in zwei Erzählungen benutzte. Sie hatte einen Kreis von sechs bis acht aufsässigen Mädchen um sich versammelt, die auf die andern Schülerinnen als ›provinzlerisch‹ herabsahen. Katherines Klassenlehrerin erwähnte nicht ihre scharfe Beobachtungsgabe, die das junge Mädchen für sich behielt, sondern ihre Phantasie, die ›fast an Unwahrheit streifte‹. Den Lehrerinnen erschien sie als mürrisch, gleichgültig und hochmütig und durchaus nicht sonderlich begabt: vor allem ihre Aufsätze ließen zu wünschen übrig. Sie galt als ungeschliffener Diamant – im Gegensatz zu den Schwestern, die so konventionell wie die Eltern waren.

Der Schrecken auf dem Schulweg war *Ole Underwood*, der sich im Gebüsch versteckte und den Kindern bange machte, wenn sie ihn nicht in Ruhe ließen. Er war dunkelhäutig, ein ehemaliger Goldschürfer, der goldene Ohrringe trug. An sich war er harmloser als in Katherines Geschichte, aber Harold Beauchamp ließ ihn einlochen. –Katherine hatte damals zwei Jahre lang Klavierunterricht bei einem Musiklehrer, der sich nach Veröffentlichung der Story *Wenn der Wind weht* darüber wunderte, wie genau sich Katherine an die Einzelheiten seines Zimmers erinnert hatte.

Zu Miss Swainsons Schülerinnen gehörte auch Maata Mahupuka, eine selbstbewußte, elegante Maori-Prinzessin, die aus einer wichtigen und wohlhabenden Familie stammte. Sie war ein Halbblut – ihr Onkel war eng mit dem damaligen Premier befreundet. Zu diesem temperamentvollen Mädchen fühlte sich Katherine erotisch hingezogen, und Maata wurde ihre erste lesbische Freundin, an der sie in masochistischer Sinnlichkeit hing, während sie in ihren späteren Männerfreundschaften ihre männliche Seite hervorkehrte. In einem *Maata* betitelten Romanversuch beschrieb sie Maatas Schönheit und ihr kultiviertes Wesen. In der Schule war Maata zwei Klassen höher als Katherine; sie war als Engländerin erzogen worden. Die Maori sagten von ihr, sie besäße *mana*, das heißt eine faszinierende Ausstrahlung. Katherine liebte sie, weil Maata ihr eine Wärme schenkte, die sonst niemand ihr gab. Ihre Begegnungen mußten sie verheimlichen. Nach dem Umzug von Karori zurück in die Stadt verbrachten die Kinder der Beauchamps die kleinen Ferien in Island Bay, einem Vorort, wo sie badeten, in Klippen und Höhlen spielten und schwimmen und tauchen lernten. Doch für die Sommerferien nahm Harold Beauchamp einen Bungalow in Day's Bay, das nur mit dem Fährboot erreichbar war. Wie es aus der Erzählung *An der Bucht* hervorgeht, liebte Katherine das Meer, aber auch den Wald und die Berge dahinter mit den kleinen Bächen und dem Farnkraut und der Stille. Auch in England sehnte sie sich nach dem Meer, denn, so schrieb sie, ›der englische Sommer am Meer ist nicht das, was ich meine. Ich meine das wilde, ungezähmte Wasser, das gegen meine einsame Insel brandet und wo man so lange am Strand steht, bis das Land hinter einem in Stille vergeht und die lauten, anschwellenden Brandungswogen über dem Ich zusammenschlagen‹.

Als Katherine im Jahre 1900 bei einem Fest ihrer Eltern zum erstenmal ein Wunderkind, den fünfzehnjährigen Arnold Trowell, Cello spielen hörte, überredete sie ihren Vater, ihr ein Cello zu kaufen. Sie durfte bei Arnolds Vater Thomas, einem Organisten und Geiger, der für sie zur Vaterfigur wurde, Cellostunden nehmen und übte mit Hingabe, kleidete sich rotbraun wie ihr Cello – ›wurde‹ zum Cello. In den alles andere als hübschen Arnold verliebte sie sich, nannte ihn Cäsar und fühlte, daß er sie in ihren künstlerischen Plänen verstand. Er bestärkte sie in der Vorstellung, sie sei eine angehende Künstlerin, und weckte in ihr den Wunsch, das kleinstädtische Wellington zu verlassen, nach England zu gehen und dort Musik zu studieren. Katherines Vater hatte ohnehin die Absicht gehabt, seine drei ältesten Töchter zwecks weiterer Ausbildung nach London zu bringen.

Im Januar 1903 schifften sich die Eltern mit Tante Belle, der Großmutter und den drei Schwestern auf der ›Niwaru‹ ein. Sie fuhren ums Kap Hoorn und waren 42 Tage unterwegs. In Montevideo, dem ersten Hafen, den sie anliefen, schickte Katherine glühende Liebesbriefe an den zurückgebliebenen ›Cäsar‹, der erst sechs Monate später zur weiteren Ausbildung nach Europa fuhr. Ein in Las Palmas aufgenommenes Gruppenbild zeigt die ganze Familie Beauchamp mit den Schiffsoffizieren.

Katherine war fast fünfzehn Jahre alt, als sie nach London kam, wo die drei Schwestern das Queen's College besuchen sollten, um dort – fast wie an einer Universität – Vorlesungen zu hören und Musik zu studieren. Sie wohnten in einem angegliederten Heim in einem großen Zimmer im obersten Stock, durch zwei Vorhänge unterteilt, auf die sie bald verzichteten. Bei ihrer Ankunft war eine Schülerin, Ida Baker, beauftragt worden, Katherine und ihre beiden älteren Schwestern Vera und Chaddie in ihr Zimmer zu führen. Sie

Die Beauchamp Familie, 1903: Oben links Katherine, neben ihr der Vater.
Mitte: von links Charlotte Mary, Annie Burnell, Kapitän Nirwaru, Belle Dyer.
Sitzend: vorn die Kinder Leslie und Jeanne

sah, wie Katherine mit ihren tiefen dunklen Augen und dem nußbraunen, gewellten Haar zielbewußt auf das Bett am Erkerfenster zusteuerte, das sie die folgenden Jahre behielt. Ida war neun Monate älter als Katherine. Beide studierten Musik, Ida Violine. Sie war zwar in England geboren, hatte aber dann bis zu ihrem siebenten Jahr in Birma gelebt, wo ihr Vater, Colonel Doktor Baker, Militärarzt gewesen war. Nach der Rückkehr besuchten Ida und ihre durch Polio verkrüppelte Schwester May die mit dem Queen's College verbundene Schule als Tagesschüler. Ida hatte ihrer sterbenden Mutter versprochen, für May zu sorgen; nach dem Tode der Mutter zog Idas Vater mit May und seinem Sohn aufs Land, während Ida intern wurde.

Katherine schrieb unterdessen weiter an Cäsar, dessen Bild auf ihrer Frisierkommode stand; eines Tages schlug sie Ida vor, sie solle ihre Freundin sein. Ida erklärte ihr, daß eine Freundschaft nicht kommandiert werden könne, sondern wachsen und dann unerschütterlich sein müsse. Sie wurde Katherines treueste, stets fügsame und ergebene Freundin, deren Aufopferung Katherine viele Monate ihres Lebens zu verdanken hatte. Damals schilderte Katherine als noch Vierzehnjährige ihrer Freundin, wie sie sich zutiefst versenken und erfahren könne, was Wahrheit sei: die Wahrheit warte dort im Grunde ihres Wesens auf sie. Es mag sein, daß Ida sie verstand. Beide Mädchen schrieben Gedichte, beide studierten Musik, beide beschlossen, Künstlerinnen zu werden. Katherine legte sich nach einigen Versuchen den Künstlernamen Katherine Mansfield zu (bis dahin war sie noch Kass Beauchamp gewesen); Mansfield war der Name ihrer geliebten Großmutter. Ida wollte sich ihrer Mutter zuliebe Katherine Moore nennen, doch eine Mansfield konnte nicht dulden, daß es zwei Katherines gab. Sie taufte Ida ihrem Bruder zuliebe Leslie, und als Leslie Moore oder LM ging Ida in die Literaturgeschichte ein, denn so wurde sie von Katherine in Hunderten von Briefen angeredet, und so nannte sie sich als dreiundachtzigjährige Verfasserin ihrer Erinnerungen an Katherine.

Katherine hatte bald noch andere Freundinnen, übte ständig und arbeitete unermüdlich an ihren Geschichten; das Schreiben wurde ihr immer wichtiger als die Musik. Für die Schulzeitung schrieb sie im Laufe der nächsten drei Jahre fünf Stories, blieb aber doch die Kleine aus den Kolonien. Als ihre Klasse einmal gefragt wurde, wer schon von einem wilden Bullen verfolgt worden sei, meldete sich Katherine schließlich, weil sonst niemand die Hand hob, doch die Lehrerin sagte: ›Sie zählen nicht, Sie sind eine kleine Wilde aus den Kolonien.‹

Ab 1904 war Ida nicht länger intern, weil ihr Vater das einsame Landleben nicht ertragen konnte. Katherine besuchte Ida zu Hause und lernte den grimmigen Vater kennen, dem sie später in der großartigen Geschichte *Die Töchter des jüngst verstorbenen Colonel Pinner* ein unvergeßliches Denkmal setzte.

Der wichtigste Einfluß auf Katherine ging von ihrem damaligen Deutschlehrer, einem Professor Rippmann, aus, der selbst künstlerisch veranlagt war und diejenigen seiner Schülerinnen, bei denen er wegen ihrer skeptischen Einstellung ein Echo fand, in seine geschmackvolle Wohnung zu literarischen Abenden einlud: er machte sie mit den Dekadenten bekannt, mit Oscar Wilde, Paul Verlaine, Arthur Symons und anderen. Oscar Wildes Aphorismen trug Katherine – neben einigen selbstverfaßten – in ihr Tagebuch ein. Daß ›Oscar‹ auf das temperamentvolle und erlebnishungrige Mädchen eine tiefe und unheilvolle Wirkung ausübte, kann nicht geleugnet werden, wenn man die notierten Leitge-

Ida Baker, genannt L.M.

danken nachliest, etwa: ›Die einzige Möglichkeit, eine Versuchung loszuwerden, ist, ihr nachzugeben.‹

Charakteristisch für die Freundschaft mit Ida ist ein Gespräch, in dem Katherine die Freundin auf die Probe stellen wollte und sie fragte, was Ida tun würde, wenn Katherine ein Verbrechen begangen, zum Beispiel jemanden mit einer Hutnadel erstochen hätte. ›Etwas Positives tun, nicht kritisieren oder wegrennen‹, war Idas Antwort. Von Katherines andern Freundinnen sind eine Sylvia und eine Evelyn zu nennen – Evelyn als das Mädchen mit der *Nelke* in der gleichnamigen Geschichte, und Sylvia, weil sie in einer anderen Story als die ältere Tochter des *Colonel Pinner* auftritt. Deren Spitzname ›Jug‹ rührte von einem seltsamen Laut her, den sie jedesmal ausstieß, wenn sie sich frustriert fühlte, also etwa ›dschak-dschack‹ machte.

Die Maori-Prinzessin Maata besuchte nach Schulabschluß in Wellington ein Pariser Institut und traf Katherine in London – eine Zeit, die beide sehr genossen. – Katherine suchte auch ihre englischen Verwandten auf, den Großonkel Beauchamp, der in New Zealand sein Vermögen gemacht und sich dann in London zur Ruhe gesetzt hatte. Seine Tochter war Elizabeth, Gräfin Arnim, die Verfasserin des damals bewunderten Buches *Elizabeth und ihr deutscher Garten*, die in 43 Jahren 21 Romane schreiben sollte und für die Katherine auch nur das kleine Ding aus den Kolonien war. Die Beauchamps waren es jedenfalls, in deren Familienkreis Katherine als Außenseiter galt – wohl auf Grund von Tante Belles Klagen, die hart und selbstgerecht war.

Katherines Liebesbriefe an ihren Cäsar hatte sie schon seit längerer Zeit nach Brüssel gerichtet, denn Arnold und sein Zwillingsbruder Garnet waren dank eines Stipendiums zum Weiterstudium nach Belgien geschickt worden. Zu Ostern 1906 wurde den drei Schwestern unter Aufsicht von Tante Belle eine Reise nach Brüssel bewilligt, und das Leben dort, die Ausfahrten mit den berühmten Brüdern Trowell, die Konzerte und das Baden im Meer, gefiel ihnen sehr, weil es so viel ungezwungener als das Leben im College war, obwohl Katherine sich nicht sehr um die Vorschriften gekümmert hatte. Auch wenn die Trowells zu den Ferien nach London gekommen waren, hatte sie sich mit ihnen amüsiert – und einen Besuch bei Ida vorgetäuscht.

Katherine wollte auf keinen Fall in das spießige Wellington zurückkehren und sprach sich mit Ida darüber aus, denn sie war die einzige, die sie verstand und an sie glaubte. Im ersten Kapitel ihres Romanbruchstücks *Juliet* beschreibt Katherine sich selbst, die breite Stirn, die schmale Nase, die sinnlich geschwungenen Lippen, nachdenklich, aber voller Vitalität, eine Träumerin, deren Träume nicht in Erfüllung gingen, da sie ›nur durch Lektüre das Leben kennengelernt‹ habe.

Tiefenttäuscht mußte sie sich von London trennen. Auf der *Corinthic* kehrte sie im Herbst 1906 mit den Eltern zurück, die sie abgeholt hatten. An Bord war eine Cricketmannschaft, so daß Katherine genug Aufmunterung fand. Aber sie war maßlos empört und gekränkt, weil ihr Vater gegen einen längeren Aufenthalt war, und nannte ihre Eltern neugierig und falsch, weil sie sie beobachteten. Im Dezember 1906 lebten sie am Meer, denn dort war ja Hochsommer, und nach der Rückkehr bezogen sie ein noch größeres Haus an der Fitzherbert Terrace, in welchem Katherine die nächsten anderthalb Jahre verleben sollte, falls sie sich nicht an der geliebten Meeresbucht aufhielt.

Katherines Enttäuschung wegen der Rückkehr nach Wellington war so groß, daß sie sich in den ersten Wochen nicht um ihre Grandma kümmerte, die nicht mehr bei ihnen wohnte, sondern zu ihrer ältesten Tochter gezogen war. Als Katherine von ihrem Tod hörte, war sie tief betroffen. An Ida schrieb sie regelmäßig jede Woche ausführliche Berichte über Erlebnisse, die auch in ihren Stories wiederkehren, so *Wenn der Wind weht* mit dem Weg auf der Esplanade mit ihrem Bruder Leslie, auch Bogey genannt (diesen Namen übertrug sie später auf Murry).

Die Tage im Bungalow am Meer beglücken sie. Von der Bucht schaut sie auf die Kaikouras-Berge: in Nebel gehüllt erscheinen sie ihr wie ein Geisterland. Noch 1917 schrieb sie über jene Jugendtage am Meer: ›Frühmorgens hatte ich immer den Eindruck, die kleine Insel sei über Nacht in die dunkelblaue See versunken, um erst beim Glanz des Tages wieder aufzutauchen – geschmückt mit glitzernden Tautropfen.‹

Im Elternhaus ist sie unglücklich und ungeduldig, schildert die Eltern als reiche Spießer, die nur Interesse für Golf und Bridge hätten. *Eine ideale Familie* erinnert vielleicht an das Haus an der Fitzherbert Terrace, und die Story *Neue Kleider* mit der unliebsamen Wochenabrechnung stützt sich ebenfalls auf Tatsachen. In dieser Langeweile entdeckte sie in Edith Bendall eine Freundin und erlebt ihre zweite lesbische Liebe. Edith ist künstlerisch veranlagt, sie zeichnet und malt kleine Kinder und dunkelhäutige Maori-Babies und illustrierte Katherines Kindergedichte mit Kinderköpfchen, die Katherine hinreißend fand. Ihre Briefe und Tagebücher sprechen – genau wie ihre Erzählungen *Sonne und Mond*, *Das Puppenhaus*, *Pearl Button*, *Das kleine Töchterchen*, *Wippwapp* und andere – von ihrer großen Liebe zu Kindern: ihr Leben lang wünschte sie sich Kinder, doch der Wunsch ging nie in Erfüllung. Ihre postum veröffentlichten Kindergedichte wurden von Walter de la Mare sehr bewundert. Gedichte und Zeichnungen wurden an Verleger geschickt, die Gedichte kamen zurück, die Zeichnungen gingen verloren. Später schrieb Katherine auch Prosa für Edith und wandte sich immer mehr dem Schreiben zu. Das Schreiben beruhigte sie, während Musik ihre Phantasie anregte.

Im Juni 1907 schreibt sie im Tagebuch ganz offen über ihr Liebeserlebnis mit Edith, vor dem selbst die Liebe zu Arnold Trowell verblaßte, obwohl sie ihn später als ›Gatten, Freund und Geliebten‹ anredete, ›der mir alles gibt und dem ich alles gebe.‹ Über ihre Cellostunden bei Arnolds Vater schreibt sie, daß er hinterher beim Tee über die Ehe mit einem Musiker gesprochen habe, für den zuerst seine Kunst und nicht seine Frau käme. Sie dachte dabei an ›Cäsar‹, und daß sie manches selbst erproben könne, falls sie ihn heiratete. Doch am Tage darauf erhielt sie einen vernichtenden Brief von ›Aida‹ (= Adel-aida und Adela-Ida), wie sie Ida auch nannte, der ihr erklärte, weshalb sie einen Monat ohne Brief von ›Cäsar‹ geblieben sei. Dieser Brief schien ihre Traumwelt zu zerstören. Sie nennt sich jetzt alt und zornig und einsam, möchte zwar einsehen, daß Künstler so leben müssen, wie Arnold Trowell es dem Brief zufolge tat, beschloß aber, selbst nie so zu leben. Nun war ihr die Stadt erst recht verhaßt. Sie fand alles klein und ohne Lebensschwung. Erst in der Erinnerung erscheint Wellington wieder verklärt, so als das reizende Städtchen in *Daphne* mit dem putzigen Theater; auch den Klostergarten, in dem sie oft spazierenging und las, macht sie in *Den Schleier nehmen* lebendig. Als die Eltern Trowell, deren Haus seit Jahren Katherines eigentliches Zuhause gewesen war, wo sie Musik und Freundschaft und ein unkonventionelles Leben kennengelernt hatte, dann auch nach Europa zogen, um ihren Söhnen näher zu sein, kannte Katherines Niedergeschlagenheit keine Grenzen mehr.

Ein Brief aus dem Jahre 1907, der handschriftlich erhalten geblieben ist, kündet von ihrer Entschlossenheit, Wellington zu verlassen. Die damals erst Neunzehnjährige hat eine sehr energische Schrift, und die Worte I GO (ICH GEHE) schreibt sie sogar in Blockschrift. Auch wenn eine Story nicht wachsen wollte, war sie verzweifelt. Sie schrieb kleine Skizzen, die sie Vignetten nannte und dem *Native Companion* in Melbourne anbot; der Redakteur nahm sie an, doch kamen ihm Zweifel, weil Katherine ihm mitgeteilt hatte, sie sei erst neunzehn, aber ihre Prinzipien seien so leicht wie ihre Prosa. Dem Redakteur, der sie für eine reife und erfahrene Frau hielt, schrieb Katherines Vater daraufhin einen Brief und bestätigte, daß seine Tochter erst neunzehn sei. Sie erhielt einen Scheck und wurde aufgefordert, mehr zu schicken.

Im November 1907 unternahm sie eine vom Vater gestiftete lange Inlandreise; vielleicht wollte er sie mit ihrer Heimat aussöhnen und hoffte sie zu halten, vielleicht wollte er die Aufsässige auch nur loswerden. Sie fuhr mit der Bahn an die Ostküste, und in Napier schloß sie sich einer Camping Party an. Vier Männer und vier Frauen durchquerten in zwei von Pferden gezogenen Stellwagen einen Monat lang das Landesinnere. Katherine schrieb fortlaufend darüber – in einem Tagebuch und in Briefen an ihre Mutter. Sie beklagte sich über das Schlafen im Zelt und über die Häßlichkeit der Gegend um Roturua – ein vielbesuchtes Touristenziel –, behauptete aber, sehr glücklich zu sein. Die Wildheit und die bizarre Häßlichkeit des Landes beeindruckten sie. Zum erstenmal lernte sie die Maori kennen, die sie bisher nur in Anikawa erlebt hatte. Ihr Charme und ihre Offenheit entzückten sie. Ihr natürliches Wesen schildert sie in der Erzählung von der gekidnappten *Pearl Button* – diese Frauen sind also nicht etwa Zigeuner! Die Farbe der heißen, brodelnden Schlammquellen fand sie abstoßend. Das unzivilisierte Land gibt ihr später den Anlaß zu zwei Erzählungen, zu *Millie* und zur *Frau im Laden*, letzterer eigentlich ein *whare*, also eine Maori-Heimstatt. Vieles erschien ihr grotesk und grausam und ›als wandle der wilde Geist des Landes selber umher und hohnlache über alles, was er sah‹ – womit sie wohl die Touristenscharen meinte. Verlassene Dörfer und Überreste riesiger Waldungen, die niedergebrannt wurden und nun wie

NATIVE COMPANION
MENU

For DECEMBBR, 1907

In a Çafe - - K. MANSFIELD
(Illustrated by Alex. Sass)
In the Dark - - - - KODAK
A Page from a Book - B. CECIL DOYLE
(Illustrated by Benison)
Offerings - - H. E. HANSEN
The Watcher - - W. L. SLACK
Lilies - - - LILIAN MILLAR
(With full page Decoration by Ida Rentoul)
Day of Death - BEATRIX TRACY
Leaves - - - - L. A.
Substitutes - - - M. FORREST
In the Botanical Gardens - JULIAN MARK
Crocodile's Eggs - - "BERKLEY"
My Gamp - - - - KODAK
My Heart is a Lute - - HARRY DEAN
All Halloween - PHYLLIS M. CLARKE

— Art Supplement —

Dusk (Illustrated by Jack Sommers) A.B.C.
Some Younger Australian Artists WM. MOORE
(with examples)
The Rover of Sallee - E. J. BRADY
(Illustrated by Jack Sommers)
The Seedy Person - ERANK MORTON
(Illustrated by Alex. Sass)
The Music of Memory - - D. CECIL
(Illustrated by Dora Sommers)
The Song of the Stokehold GRANT HERVEY
(Illustrated by Percy Lindsay)
A Samson of the Posthole EDWARD DYSON
(Illustrated by Ambrose Dyson)
The Rose and the Sword - L. ARONSON
Were I King - - TOM TYSON
(Illustrated by Ruby Lindsay)
The Perfidy of Andrew Sloan HARRY DEAN
(Illustrated by Percy Lindsay)
John Tompkins - THOS E. SPENCER
(Illustrated by Laurie Taylor)
An !dyll - - GODFREY TURNER
Three Years Ago - RODERIC QUINN
The King's Caravan - - E. J. BRADY

— Midnight Oil —

Katherines erste Vignette in ›Native Companion Menu‹, Dezember 1907

Skelette phantastischer Tiere aufragten, sprachen vom Einbruch der Zivilisation. Aber auch schöne Ausblicke von der Höhe und drei Wasserfälle dicht nebeneinander regten ihre Phantasie an. Die Schlammvulkane sah sie als kochende Geschwüre; einen tiefen Eindruck hinterläßt ein schroffer Berg oberhalb des Waikato-Flusses, der das uralte Kampfgelände der Maori war.

Bei alledem konnte sie die verfeinerte Kultur Londons nicht vergessen. Sie hatte ihren Plan, nach London zurückzukehren, keineswegs aufgegeben und nur noch nicht den Mut gefunden, mit ihrem Vater zu sprechen. In den 1907 geschriebenen Briefen und Tagebucheintragungen äußert sich ihre Entschlossenheit: ›Ich könnte eine gute Autorin werden – Ehrgeiz und Ideen besitze ich.‹ Endlich erlaubt der Vater nach einem Gespräch, das ihm ihren festen Willen beweist, die Rückkehr nach London für den Anfang des folgenden Jahres – 1908. Doch da widerfährt ihr ein Pech: auf vielen losen Zetteln hatte sie notiert, was sie während des Weihnachtsballes in einer Tanzpause mit ihrem Tanzpartner erlebte: der stürmische Wind hatte die Zettelchen vom offenen Fenster ins Zimmer geweht, wo ihre Mutter sie aufsammelte und las. Danach schien es ungewiß, ob sie jemals die Erlaubnis für die Reise erhalten würde, und Katherine stand solche Qualen aus, daß sie in ihrem Tagebuch sogar von Selbstmord schreibt. Im Februar trägt sie mit Blockschrift ein: ›NIMM DICH ZUSAMMEN!‹

Endlich willigte ihr Vater ein.

Am 4. Juli 1908 fand im Hause des Premiers, des Vaters ihrer Freundin Eileen Ward, ihr zu Ehren das Abschiedsfest statt, wie der *New Zealand Freelance* zu berichten wußte, ›mit vielen Freundinnen und Musik und einer Wahrsagerin, an einem mit Primeln und Veilchen übersäten Teetisch. Miss Beauchamp schiffte sich in Lyttleton auf der »Papanui« ein, und ihre Eltern begleiteten sie ein kurzes Stück‹. Doch der reiche und ohnehin knauserige Vater beging einen schweren Fehler, indem er das junge, im Luxus aufgewachsene Mädchen mit einer Jahresrente abspeiste, die für eine Künstlernatur nicht ausreichen konnte. Wöchentlich standen ihr 40 Shilling zur Verfügung: 30 Shilling mußte sie für das von ihrem Vater vorgeschriebene Heim für Musikstudentinnen, der Beauchamp Lodge, ausgeben, der Rest sollte für alles übrige reichen, für Kleidung, Autobus, Papier usw. Zum Glück war die treue Ida da, die sie an der Bahn abholte – von der Verwandtschaft war niemand erschienen.

Auch Ida hatte, weil sie noch nicht mündig war, nur wenig Geld, doch fanden sie, daß Geldmangel, um sich ständig davon niederdrücken zu lassen, etwas zu Gewöhnliches sei, und wie man einen Freund um eine Tasse Tee bäte, könne man ihn auch um Geld bitten. Deshalb nannten sie Geld von da an nur ›Tee‹ oder ›T‹. Sehr zu beider Kummer mußten sie Katherines teures Cello für nur drei Pfund verkaufen. Dank ihrer Begabung für Rezitation, Musik und Imitation wurde Katherine oft zu Gesellschaften eingeladen und erhielt ein Goldstück für den Abend. Katherines erster veröffentlichter Beitrag in London war ein Gedicht in der *Daily News.* Sie schrieb damals auch über ihre Weltanschauung und erwies sich als klar denkende, emanzipierte Frau, die der Ansicht war, daß die Frauen noch immer in selbstgeschmiedeten Sklavenketten gefangengehalten werden. Als Ziel standen ihr kritisches Denken, Unabhängigkeit und die Erkenntnis vor Augen, daß Kunst Selbstentwicklung sein müsse.

Weil sie in der Beauchamp Lodge (die nichts mit Katherines Familie zu tun hat) ständig von Mitstudenten und -studentinnen gestört wurde, siedelte sie zu den Trowells auf Carlton Hill über, die sie, weil auch in finanziellen Schwierigkeiten, gerne als zahlenden Gast aufnahmen. Sie bewohnten ein stilles Haus mit kleinem Garten, und Katherine war dort glücklich. Trowells erwarteten ihre Söhne, die von Brüssel nach London übersiedeln sollten, und Katherine holte sie an der Bahn ab, war aber sofort von Arnold enttäuscht und wandte sich dem sanfteren Zwillingsbruder Garnet zu. Die Künstleratmosphäre im Hause behagte ihr sehr. Sie verliebte sich in Garnet, und er sich in sie. Beide planten zu heiraten, er neunzehn-, sie zwanzigjährig. Damals schrieb sie ihre erste eigentliche Erzählung, *Rosabels Müdigkeit*, die erst 1924 postum veröffentlicht wurde. Wie Rosabel sehnte sich auch Katherine nach Sicherheit – aber die fand sie bei Garnet nicht. Er nahm eine Stelle als Geiger bei einer herumreisenden Operntruppe an, und weil Katherine nicht wochenlang ohne ihn leben mochte, reiste sie zu ihm, lebte als seine Frau bei ihm und verdiente Geld als Statistin. Über diese Zeiten und die folgenden Geschehnisse liegen nur widersprüchliche Daten vor – jedenfalls ertrug Katherine das Leben bei der Truppe nicht lange, weil sie keine Ruhe zum Schreiben fand. Die Eltern Garnets waren gegen eine Heirat, und Katherine mußte wieder in die Beauchamp Lodge ziehen. Sie sandte flehende Briefe an Garnet und wartete verzweifelt auf eine Antwort. Ostern war sie in einem Abgrund der Verzweiflung und nahm Veronal, um schlafen zu können. Garnet wurde von seinen Eltern daran gehindert, sie wiederzusehen. In ihrem Tagebuch klagt sie, daß sie nirgends Schutz fände und nirgends hingehöre. Später vernichtete sie die ›Jeremiaden‹.

In den Jahren von 1909 bis 1916 zeigte sie eine unersättliche Gier nach ›Erfahrungen‹. Sie wollte nicht länger leiden, sondern berechnend und kühl jemand heiraten, der ihr gutes Recht achtete, als Künstlerin zu leben. Diesen Mann glaubte sie in dem Sänger und Gesangslehrer gefunden zu haben, der in Cambridge studiert hatte und George Bowden hieß, ihre Begabung respektierte und sie anbetete. Garnet liebte sie noch immer inständig, aber er konnte ihr nicht die notwendige Sicherheit bieten. Im März 1909 heiratete sie Bowden, und zwar in überstürzter Eile. Einer ihrer Verwandten hatte nämlich von der geplanten Heirat gehört und ihre Eltern benachrichtigt. Sein Brief würde fünf Wochen unterwegs sein. Katherine kaufte sich einen teuren schwarzen Hut (der sehr häßlich gewesen sein muß, denn die Mutter empfahl Katherine schon bei der Ankunft, ihn dem Zimmermädchen zu schenken), zog ein schwarzes Kleid an und wurde von ihrer Trauzeugin, Ida Baker, abgeholt.

Die Trauung im März 1909 fand in einer deprimierend trostlosen Amtsstube statt. Sie verbrachte den Tag und die Nacht mit ihrem Mann und verließ ihn am nächsten Morgen. Einen Grund gab sie nicht an, er erfuhr ihn auch erst Jahrzehnte später: Katherine erwartete ein Kind von Garnet Trowell, den sie noch immer liebte, und das Kind wollte sie unbedingt haben. Als ihre Mutter im Mai eintraf, begrüßt von der ganzen vornehmen Verwandtschaft, mußte Katherine sofort zur Mutter in deren Hotel ziehen, obwohl sie und

Ida eine kleine Wohnung gemietet hatten (denn in der Lodge durften nur Unverheiratete wohnen). Katherines Mutter, die nicht zornig, sondern voller Verachtung für eine Tochter war, die sich Freiheit für ihre Selbstentwicklung gewünscht und in acht Monaten in eine törichte Ehe gestürzt hatte, wußte nur, daß sie ihrem Mann davongelaufen war, und ahnte nichts von der Schwangerschaft. Sie wollte Katherine möglichst rasch von der Bildfläche verschwinden lassen und schickte sie ›zur Erholung‹ in ein Kloster in Bayern, dann reiste sie wieder ab. Katherine unternahm die Reise vielleicht mit ähnlichen Gefühlen wie die *Kleine Gouvernante*, doch sie ließ sich, mutig und tapfer wie sie war, nicht lange unterkriegen, verzichtete auf das eintönige Klosterleben und zog nach dem damals noch billigen Bad Wörishofen, dem Schauplatz des Buches *In einer deutschen Pension.* Allmählich überwand sie die ausgestandenen Ängste, zwang sich, nicht mehr Veronal zu nehmen, unterzog sich der Kaltwasserkur des Pfarrers Kneipp – nicht ohne sich zu erkälten und krank zu werden. Die Spaziergänge in den schönen Wäldern genoß sie sehr. Als sie einen schweren Koffer auf einen Schrank heben wollte, erlitt sie eine Fehlgeburt und war todunglücklich, weil sie sich auf das Kind so gefreut hatte. Ihre Gedichte aus jener Zeit deuten die Stürme in ihrer Seele an. Die treue Ida kam auf den Gedanken, ihr ein Kind zu verschaffen: es gelang ihr, einen unterernährten Jungen aufzutreiben, der gerade eine Brustfellentzündung hinter sich hatte, und ihn mit Fahrkarte und Anschrift nach Wörishofen zu schicken. Er war ein schmächtiges achtjähriges Kerlchen, das später einmal der kleine Lennie in der Story von der alten *Ma Parker* wurde. Katherine fütterte ihn auf und schickte ihn gesund wieder heim.

Unterdessen hatte sie nette Freunde kennengelernt, so die österreichische Familie, die sie später in Genf wiedersah, und einige Polen, die ihr slawische Lieder vorsangen und sie mit der polnischen und russischen Literatur bekannt machten. Sie schlugen ihr auch vor, ihre Erzählungen für polnische Zeitungen zu übersetzen, denn Katherine hatte schon begonnen, Satiren und Karikaturen zu schreiben, die später unter dem Titel *In einer deutschen Pension* erschienen. Die erste dieser Geschichten hieß *DAS-KIND-DAS-MÜDE-WAR* –

sicher ein Symbol ihres eigenen müden Daseins und nicht etwa eine Schilderung der bayerischen Bauern, die alle freundlich zu ihr waren. Diese Geschichte als Plagiat einer Tschechowschen Erzählung zu bezeichnen, haben die Kritiker aufgegeben, weil es vom künstlerischen Standpunkt aus nicht stichhaltig ist.

Im Januar 1910 kehrte sie nach London zurück. Ida hatte ihr ein Zimmer in einem Hotel besorgt, wo sie sich eine Weile ausruhen konnte. Im Februar beschloß sie, zu Bowden zurückzukehren. Sie hatte ihm von Bayern aus geschrieben und von London aus telegraphiert, unterzeichnet ›deine Frau‹. Sie zeigte ihm ihre Erzählungen. Er hielt Ida für Katherines lesbische Freundin, um derentwillen Katherine ihn verlassen hatte, doch Ida wußte laut ihrer eigenen Beteuerung damals überhaupt nicht, was das Wort bedeutete. Vorsichtshalber kamen die beiden Freundinnen überein, Bowden nicht zu sagen, daß Ida in London war. Katherine lebte in Bowdens Wohnung, und Ida besuchte sie nur in Bowdens Abwesenheit. Glücklich war Katherine auch dort nicht, weil sie aus verschiedenen Gründen nicht zum Schreiben kam.

Im März 1910 mußte sie ihren Mann dann doch bitten, Ida zu holen, denn sie war plötzlich an Bauchfellentzündung operiert worden und lag in einem Pflegeheim, in dem sie es wegen der Zudringlichkeit des Arztes nicht aushalten konnte. Ida schaffte sie in ihre eigene Wohnung, die ihr Vater ihr vor seinem Wegzug nach Rhodesien gemietet hatte, und pflegte sie.

Auf Bowdens Vorschlag hin hatte Katherine die Verbindung mit A. R. Orage, dem Redakteur der Zeitschrift *The New Age*, aufgenommen. Sie hatte ein Manuskript – nicht etwa *Rosabel*, sondern *DAS-KIND-DAS-MÜDE-WAR* – persönlich in die Redaktion gebracht, und ihr Mann wartete draußen auf die Entscheidung. Die Geschichte wurde angenommen, und sie sollte noch mehr senden. Dadurch war sie, wie Bowden feststellte, ›unabhängig geworden, und unsre Ehe wurde zur Episode.‹ Vom Mai bis Oktober 1910 veröffentlichte Orage die in Wörishofen entstandenen Geschichten. Er und seine Mitarbeiterin und Freundin Beatrice Hastings hatten Katherines satirische Begabung erkannt und wollten die erst Einundzwanzigjährige auf diese Kunstform festlegen. Bedeutendere Mitarbeiter waren damals George Bernard Shaw, Gilbert Keith Chesterton, Herbert George Wells, Arnold Bennett und Joseph Hilaire Pierre Belloc. Katherine dachte immer voller Bewunderung an Orage; sie war ihm für seine Anregungen dankbar und wurde oft in sein Cottage nach Sussex eingeladen. Sie befreundete sich mit Beatrice, die ihr auf den ersten Blick sehr ähnlich sah, doch Bilder aus der gleichen Zeit zeigen einen gänzlich anderen Gesichtsausdruck. Katherine und Beatrice spornten einander zu kleinen Bosheiten an, die unter einem angenommenen Namen in Orages Zeitschrift erschienen. Allmählich war Katherine der Zwang verhaßt, sich so einseitig in ihrer Kunst festgelegt zu sehen. Als sie ihren zweiten Mann, John Middleton Murry, kennenlernte und für dessen Zeitschrift *Rhythm* zu schreiben begann, entzweite sie sich mit Orage, und erst gegen Ende ihres Lebens spielte er wieder eine bedeutsame Rolle.

Im Sommer 1910 erkrankte sie an Gelenkrheumatismus, und Ida mietete ihr ein Cottage in Rottingdean, wo sie sich erholen sollte. Sie genoß diese Ruhepause, den Sonnenschein, die Wiesen und die Seeluft. George Bowden besuchte sie zweimal, dann brach Katherine die Beziehung ab und sah ihn erst Jahre später im Zusammenhang mit der Scheidungsfrage wieder. Ida besorgte ihr Bücher aus der Bibliothek in Brighton, und häufig kamen befreundete Schriftsteller zu Besuch. Als es Katherine besserging, stellte ihr der Maler Bishop, der für mehrere Monate zum Malen nach Marokko gehen wollte, seine Wohnung am Cheyne Walk in Chelsea zur Verfügung. Dort wohnte Katherine sehr gern und schrieb Gedichte und Geschichten. In der Nähe entdeckte sie eine kleine Schneiderin, die ihr die für sie so charakteristischen und originellen Samtjäckchen und Kleider nähte.

Im November 1910 besuchte sie in der Grafton Gallery die vom Publikum belächelte Ausstellung der Nachimpressionisten Cézanne, van Gogh, Gauguin und Matisse, die auf ihre Art zu schreiben einen merkwürdig befreienden Einfluß ausübten. Sie wollte in Worten nachvollziehen, was die jungen Maler in Farbe ausdrückten. In der Wohnung über ihr hörte eine Dame Katherines Gesang: sie versuchte sie zu überreden, sich ausbilden zu lassen. Katherine ging nicht darauf ein, weil sie sich in ihrer Unabhängigkeit bedroht fühlte. Doch mit Idas Hilfe und in Teilzahlungen kaufte sie den Flügel der Dame, um darauf zu üben.

Den ganzen Winter über kamen viele Freunde zu Besuch, auch William Orton, ein junger Lehrer und Schriftsteller, der in seinem autobiographischen Roman *Romantics* ein Bild seines Zusammenlebens mit Katherine beschreibt. Wie er es in seinem Buch erwähnt, schenkte ihm Katherine ihren Ring mit dem großen schwarzen Opal, den sie von den Maori bekommen hatte. Die einundzwanzigjährige Katherine, die wie immer auf das Sammeln von ›Stoff‹, das heißt von Erfahrungen, erpicht war, hatte nach Aussage ihrer Freundin Ida noch eine andere Liebesaffäre mit einem jungen Unbekannten. Er war gegen eine Heirat, und als Katherine ihn mehrere Jahre später in einem Café wiedersah und ihn vulgär fand, sagte sie zu Ida: ›Da sieh mal, was mir erspart blieb!‹

Nachdem der Maler Bishop Anfang 1911 zurückgekehrt war, hatte Katherine eine eigene Wohnung suchen müssen und in Clovelly Mansions drei leere Dachzimmer mit Küche und Blick auf die Dächer Londons gefunden. Ida half ihr beim Einrichten. Da sie kein Geld hatten, wurde der Boden mit japanischen Matten bedeckt und mit Sitzkissen möbliert. In einem der beiden Vorderzimmer standen zwei Ruhebetten und ein von Ida gestifteter steinerner Buddha aus Birma, in dem andern Zimmer nahm der große, noch nicht abbezahlte Flügel allen Platz ein, und dank Katherines Geschmack und Farbensinn wurde die Wohnung sehr originell.

Ida glaubte, sie könne unbesorgt zu einem längeren Besuch bei ihrem Vater und ihrer Schwester in Rhodesien aufbrechen, denn Katherine war voller Vorfreude auf das Kind, das sie erwartete (vermutlich von dem jungen Unbekannten, der weiterhin ahnungslos blieb). Für das bevorstehende Ereignis hinterließ Ida sechzig Pfund. Doch als sie Katherine nach sechs Monaten wiedersah, war kein Kind zur Welt gekommen, und das Geld war verbraucht. Katherine war durch die Nachricht überrascht worden, daß ihre Eltern im Sommer 1911 zur Krönung kommen wollten. Wahrscheinlich mußte sie den endgültigen Bruch mit ihren Eltern vermeiden –

Ida Baker (Leslie Moore) in Rhodesien, 1914 bis 1916 (ganz rechts)

jedenfalls wandte sie sich hilfesuchend an Beatrice Hastings, die einen Eingriff veranlaßte. Damit war Katherine ihr und der Zeitschrift *New Age* verpflichtet und überließ Orage die Geschichte *Ein Geburtstag*, die zwar im Band *In einer deutschen Pension* erscheint, deutsch sind jedoch nur die Namen: das Ehepaar ist zweifellos ein Porträt von Harold und Annie Beauchamp in der Tinakori Road in Wellington mitsamt Hängebrücke und Schlucht.

Die Eltern brachten ihre Kinder Chaddie, Jeanne und Leslie mit, und letzterer schloß sich, jetzt siebzehnjährig, voller Begeisterung an seine berühmte Schwester an. Sie genossen London gemeinsam, aber im Juli erkrankte Katherine an Brustfellentzündung. Ihre Mutter riet ihr, zur Nachkur in den Süden zu fahren, Katherine reiste aber nach Brügge, wovon ihre Erzählungen *Die Reise nach Brügge* und *Ein wahres Abenteuer* zeugen; schließlich nach Genf, wo sie in der Pension wohnte, die den Anstoß zu *Pension Séguin* und zu *Violet* gab. Diese Erzählungen weisen einen Fortschritt gegenüber den ›bayrischen‹ Skizzen auf: die Ich-Erzählerin kann jetzt auch über sich selbst lachen. Sie hatte erkannt, daß die

Menschen alle ziemlich komisch und ziemlich liebenswert sind. Auch *Bains Turcs* spielt in Genf. Ida war froh, als sie auf der Rückreise Katherine in Genf auftreiben konnte. Es war nötig, daß sie sich ihrer annahm, denn Katherines Mutter hatte sie ohne finanzielle Unterstützung und unbekümmert um ihre Probleme abreisen lassen.

Als sie wieder in Clovelly Mansions war, schrieb sie in ihr Tagebuch, daß sie mit Orton zusammen schaffen und arbeiten wolle: ›Ich will ein neues Leben anfangen, das bisherige ist bis auf den letzten Faden abgenützt.‹ Sie konnte ihr erstes Buch vorbereiten, auf das ihr der Verleger Swift eine Vorauszahlung von fünfzehn Pfund gab. *In einer deutschen Pension* erhielt gute Kritiken und wurde bei der damals in England herrschenden antideutschen Stimmung vom Lesepublikum beifällig aufgenommen. Damit stand Katherine vor der Familie Beauchamp endlich gerechtfertigt da, denn jetzt war sie ›eine Autorin mit außergewöhnlichem Talent‹. Die folgenden elf Lebensjahre Katherines bis zu ihrem Tode stehen ganz unter dem Zeichen ihrer wechselvollen Beziehung zu ihrem zweiten Mann, John Middleton Murry, der damals, noch als Oxfordstudent, eine kleine, aber wichtige Zeitschrift *Rhythm* herausgab und Katherine um Beiträge bat. *Rhythm* war die erste Vierteljahresschrift für Literatur und Kunst in England, die Reproduktionen moderner Maler, so

John Middleton Murry, ca. 1909

auch von Zeichnungen Picassos, brachte. Katherine konnte wegen ihrer Abwesenheit nicht sofort auf Murrys Bitte eingehen. Sie sandte ihm zwei Erzählungen, von denen die zweite, *Die Frau im Laden*, mit der größten Bewunderung angenommen wurde. Ende Dezember 1911 waren Katherine und Murry gemeinsam zu einem Abendessen eingeladen, und Katherine sah zum erstenmal den schüchternen, zehn Monate jüngeren Murry. Sie lud ihn zu sich ein – zu Tee mit Braunbrot und Honig –, und nach einigem Hin und Her kam es auch dazu. Murry staunte über die fast unmöblierte Wohnung, in der er auf einem Schaukelstuhl thronen durfte, während Katherine auf dem Fußboden kauerte und ihm den Tee in einer Schale einschenkte. Verlegen erzählte er ihr von seinen Schwierigkeiten: er hatte keine Lust mehr, sich auf weitere Examen in Oxford vorzubereiten (was seine Eltern von ihm erwarteten), sondern er wollte selbständig arbeiten. Katherine riet ihm, Oxford zu verlassen. Damit war bereits ein Gewicht von seinen Schultern genommen – das WIE würde sich auch noch lösen lassen. Er durfte als Untermieter in Katherines Musikzimmer einziehen, obwohl Katherine die Wohnung gerade hatte aufgeben wollen, um sich ein Häuschen auf dem Lande zu suchen. Beide genossen die gegenseitige Anregung für ihre Arbeiten. Die Auseinandersetzung mit Murrys Eltern war weniger angenehm: eines Tages erschienen Murrys Mutter und seine Tante in Katherines Wohnung, um ›der Verführerin‹ den begabten Sohn zu entreißen, Murry ließ sich indessen nicht wegholen. Die Redaktion des *Rhythm* wurde nach London verlegt. Katherine wurde Mitarbeiterin, verließ also zeitweilig den Mitarbeiterstab des *New Age*, wodurch sich beide den Zorn und den ätzenden Spott jenes Blattes zuzogen. Die ›Überläuferin‹ wurde in jeder Nummer angegriffen und verunglimpft. Ende 1911 hatte Katherine den irischen Anwalt Gordon Campbell – den späteren Lord Glenavy und Präsident der Bank of Ireland – kennengelernt, der bald auch Murrys Freund wurde und allabendlich lange (für Katherines Geschmack zu lange) Gespräche über metaphysische Probleme führte. Sie fand sie nicht immer interessant, ihr Ziel war einzig das Schreiben. Gordon stand ihnen auch manchmal in finanziellen Nöten bei, und die treue Ida fand, der gütige und

verständnisvolle junge Ire sei wirklich ein menschliches Wesen und nicht so wie die andern Literaten und Ästheten, die immer häufiger Katherines Wohnung heimsuchten.
Als sie einmal von Katherines Ehemann, George Bowden, Besuch erhielten, konnte er sich keine klare Antwort holen, ob Katherine eine Scheidung wünsche und Murry heiraten wolle. (Es gehört auch zur ›Legende‹, daß die bedauernswerte Katherine nicht Murry heiraten konnte, weil sie an Bowden ›gebunden‹ war.) Er wurde aufgefordert, ein paar Schumann-Lieder zu singen, und auf die Scheidungsfrage kam er erst ein paar Jahre später zurück, als er selbst eine andere Frau heiraten wollte.

Katherine Mansfield, 1917

John Middleton Murry, 1912

Obwohl die Murrys nicht verheiratet waren, hatten sie doch nichts gegen eine Hochzeitsreise. Sie fuhren im Mai 1912 nach Paris, wo Katherine die Freunde Murrys kennenlernte, den Maler Fergusson, die Malerin Anne Estelle Rice (die später Katherines Freundin wurde und sie in ihrer letzten Lebenszeit porträtierte), den Schriftsteller Cannan und dessen Frau Mary, die vorher mit dem Dramatiker Sir James Barrie verheiratet war, sowie den Dichter und Bohemien Francis Carco, der in Katherines Story *Je ne parle pas Francais* als der Gigolo und Zuhälter Raoul auftritt.

Im Juni machten sie die Bekanntschaft Henri Gaudier-Brzeskas, der dem *Rhythm* seine Tierzeichnungen anbot und bald nebst seiner Freundin Sophie ein intimer Freund – und dann ein erbitterter Feind der Murrys wurde. Sie hatten im August 1912 ihre Wohnung verlassen müssen, weil der Hauswirt erfuhr, daß sie nicht verheiratet waren, und sich ein Cottage in Runcton gesucht, an dem auch die Gaudier-Brzeskas teilhaben wollten. Leider überhörte der Maler eine Bemerkung Katherines, daß ihr die Anwesenheit Sophies verhaßt und gänzlich unerwünscht sei. Über ähnliche Situationen in Katherines Leben hatte sich die amerikanische Schriftstellerin Willa Cather, die Katherines Erzählungen sehr bewunderte, mit viel Verständnis geäußert: ›Man begreift, daß menschliche Beziehungen eine tragische Notwendigkeit im Leben sind und daß sie nie gänzlich befriedigend sein können, weil jedes Ego sie einerseits inbrünstig begehrt und andrerseits vor ihnen zurückschreckt.‹ Sie fand, daß Katherine in ihrem Werk solche Situationen sehr einfühlsam dargestellt hatte.

Im Sommer 1912 hatte Katherine den scheinbar sehr gescheiten Einfall, ihrem Verleger Swift die Übernahme des *Rhythm* anzubieten, weil ihnen die Zeitschrift Ärger mit den Druckern verursachte. Swift war einverstanden, falls die beiden Murrys als Herausgeber für monatlich zehn Pfund weiterarbeiten wollten, und zahlte ihnen sofort vier Monate im voraus. Damit schienen sie mancher Schwierigkeit enthoben. Mit Katherines Jahresrente und Murrys Einnahmen als Rezensent für die *Westminster Gazette* glaubten sie sich in Runcton zu einem Mietvertrag auf drei Jahre berechtigt. Aber im Herbst erklärte sich Swift für bankrott, floh und hinterließ Murry eine Schuldenlast von 400,- Pfund. Sie mußten das Cottage wieder aufgeben und in eine trübselige Wohnung in der Chancery Lane ziehen, die gleichzeitig auch ihr Büro war. Katherine opferte ihre Einnahmen und verpfändete auf vier Jahre hinaus ihre Jahresrente an die Drukker, die ihre Gläubiger waren. Das Erscheinen des *Rhythm* wollten sie nicht einstellen, obwohl man ihnen dazu geraten hatte.

Inzwischen hatte Gordon Campbell geheiratet und führte seine Frau Beatrice zu den Murrys. Über die Freundschaft

Gordon Campbell mit dem Ehepaar G.B. Shaw, Co. Kerry

der beiden jungen Paare hat Beatrice in ihrem Buch *To-day we will only gossip* (Heute wollen wir bloß schwatzen) sehr anschaulich und heiter geschrieben. Bei ihrem ersten Besuch sah sie Katherine auf dem Treppenabsatz auf einem Wäschekorb hocken, in eine Unterhaltung mit dem Waschmann vertieft. Dann setzten sich alle auf den Fußboden und sprachen von Dostojewskij, über den Murry ein Buch schreiben wollte. Weihnachten 1912 fuhren sie zu sechst mit den Cannans nach Paris. Beatrice hatte den Eindruck, daß Katherine damals sehr glücklich war. Übermütig stürmte sie in die Cafés, riß ihren großen Hut vom Kopf und hängte ihn zwischen die Herrenhüte, was natürlich Ausrufe wie: ›Oh lala!‹ herausforderte. Cannan nannte die Murrys die beiden ›Tiger‹ (nach einem Pseudonym für den *Rhythm*), woraus Katherines Spitzname ›Ti‹ und später ›Wig‹ entstand. Katherine hatte sich mit der Zeit sehr verändert; wie ihr Schwager Richard und die Malerin Brett bestätigten, war aus dem eher fülligen jungen Mädchen eine knabenhaft junge Frau geworden, die man begehrte. Die großen dunklen Augen und die ungewöhnliche, originelle Kleidung mochten auch dazu beigetragen haben.

Im Januar 1913 erschien Katherines Story *Ole Underwood* im

Rhythm. Sie forderte den damals in Gargnano lebenden D. H. Lawrence auf, Beiträge zu schicken. Da sie sich die Mitarbeit von Lawrence und andern bedeutenden Schriftstellern gesichert hatten, ließen sie das Blatt, nachdem es im März eingegangen war, noch ein paar Monate unter dem Namen *The Blue Review* erscheinen. Im Juni traf Lawrence aus Italien ein, wo er mit Frieda, der Frau seines ehemaligen Professors Weekley, zusammenlebte. Die geborene Freiin von Richthofen hatte ihren Mann und drei Kinder im Stich gelassen und war dem jungen Lawrence gefolgt. In London machten sie sofort die Bekanntschaft der Murrys. Die beiden Liebespaare verstanden sich außerordentlich gut: Lawrence fand in Katherine eine kongeniale Künstlernatur und in Murry einen anregenden und hochintelligenten Gesprächspartner. In ihrem Buch *Nicht ich, sondern der Wind* beschreibt Frieda die erste Begegnung: ›Wir waren in Katherines Wohnung zum Tee. Mit ihrem starken braunen Haar, der zarten Haut und den großen Augen, die wir später ihre Gu-gu-Augen nannten, erschien sie mir auserlesen und vollkommen.‹ Katherine übernahm sofort die Botengänge zwischen Frieda und ihren Kindern. Der ersten Einladung der Law-

Katherine Mansfield und John Middleton Murry, ca. 1912

Katherine Mansfield in Rottingdean, Juni 1910

rences nach Kingsgate konnten die Murrys wegen Geldmangels nicht folgen. Lawrence schalt Murry deswegen und lieh ihm ein Pfund, damit sie am nächsten Wochenende kommen konnten. Sie verbrachten einen übersprudelnd fröhlichen Tag mit Schwimmen und guten Gesprächen. – Lawrence hatte seinen dritten erfolgreichen Roman *Sons and Lovers* beendet und gab Lawrence ein Exemplar mit.

Als die Campbells im Sommer ein Haus in Howth bei Dublin gemietet hatten, luden sie die Murrys ein. Murry gefielen die Sommerwochen mit Fischen und Drachensteigenlassen so gut, daß er gern noch länger geblieben wäre, aber für Katherine war zuviel Betrieb in dem kleinen Haus, und sie flüchtete manchmal zu Ida, die sie in der Nähe untergebracht hatte.

Im September redete Lawrence den Murrys zu, mit ihnen nach Italien zu gehen, da die Einsamkeit in der schönen Natur herrlich sei. Murry wagte es jedoch nicht, längere Zeit ohne feste Einnahmen ins Ausland zu gehen. Lawrence tadelte ihn: damit zeige er nur, daß er der Liebe seiner Frau nicht traue, wenn er ihr nicht zumute, auch einmal in Armut zu leben. Murry hielt es für etwas sicherer, in Paris für die *Times* als Rezensent zu arbeiten. Die Übersiedelung war nicht ohne Unkosten zu bewerkstelligen, und Katherine versuchte, etwas Geld als Filmstatistin zu verdienen. Ida gab den Rest ihrer Familienmöbel her und hoffte, bald nach Rhodesien zu fahren, wo ihre Schwester sich verheiraten wollte. Aus Paris erhielt sie zufriedene Briefe: die Murrys hatten sich in der Rue de Tournon angenehm eingerichtet. Doch kurz vor Idas Abreise traf eine dringende Bitte um Geld ein, weil Murry keinerlei Einnahmen hatte, denn seine Rezensionen wurden zurückgeschickt. Mit Carcos Hilfe lösten sie die Wohnung auf – er verkaufte die Möbel an Bordellwirtinnen – und konnten gerade eben die Miete zahlen. Ida konnte nur noch fünf Pfund erübrigen, und weil sie nicht wußte, wie sie in der Eile das Geld nach Paris befördern sollte, schnitt sie die Scheine halb durch und steckte sie in verschiedene Umschläge. Katherine hielt sie für wahnsinnig – bis die ›anderen Hälften‹ eintrafen. – In Paris schrieb sie ihre schöne Erzählung *Etwas Kindliches, aber sehr Natürliches.* Für den Anfang verschafften ihnen Freunde in London eine Wohnung, aber darauf folgten noch zahlreiche Umzüge. Durch Katherines Briefe blieb Ida über ihr Schicksal auf dem laufenden; sie kehrte erst nach zwei Jahren aus Rhodesien zurück.

Im Juli 1914 konnten Frieda und Lawrence endlich heiraten, worauf Lawrence großen Wert gelegt hatte. Gordon und Beatrice Campbell und Katherine und Murry waren ihre Trauzeugen: auf dem Weg zum Standesamt gab Frieda Katherine ihren Trauring aus erster Ehe. In jenem Sommer waren die beiden Murrys unglücklich und empfindlich: sie

Freund ›Kot‹, der Russe Koteliansky

hatten jeder eine Brustfellentzündung durchgemacht, ihre Wohnungen waren ihnen verhaßt, und Katherine hatte nie Gelegenheit zum Schreiben.
Kurz vor Kriegsausbruch unternahm Lawrence einen Ausflug mit Freunden, unter ihnen war ein Mann, der später Katherines treuester Freund werden sollte. Es war ein russischer Jude namens Koteliansky, der auf dem Ausflug hebräische Lieder sang. Nach den Worten *Ranané Sadikim* prägte Lawrence dann die Bezeichnung ›Rananim‹ für seinen geplanten Idealstaat, in dem er nach dem Krieg mit gleichgesinnten Freunden leben wollte. Alle litten unter dem Krieg, und daß der engere Freundeskreis durch Koteliansky erweitert wurde, empfanden sie als Lichtblick. Die Murrys wohnten damals vorübergehend bei den Lawrences in Buckinghamshire, bis ihr Häuschen bezugsbereit war, und dort lernte Katherine Koteliansky kennen. Frieda und Lawrence stritten sich nach dem Essen, und Frieda rannte in den strömenden Regen hinaus. Plötzlich erschien eine für Koteliansky noch unbekannte junge Frau und rief: »Lorenzo, Frieda läßt dir sagen, sie käme nicht wieder.« – »Hol sie der Teufel! Ich will sie nie wiedersehen!« antwortete Lawrence.
›Kot‹, wie ihn alle nannten, war mit einem Stipendium von der Universität Kiew nach London gekommen, blieb aber nicht wie vorgesehen drei Monate, sondern sein Leben lang. Mit seiner Hilfe begann Katherine, aus dem Russischen zu übersetzen. Für sie war er ›der starke Turm‹, auf den sie sich verlassen konnte. Während der ersten Kriegsmonate wohnten die Murrys im Rose Tree Cottage, einem feuchten, häßlichen Haus. Katherines Rheuma verschlimmerte sich wieder, sie mußte den Haushalt besorgen. Ein Arbeitszimmer hatte sie nicht, weil Murry das einzige geeignete Zimmer für sich genommen hatte.
Kot brachte Katherine öfters Zigaretten und trieb auch schwer erhältliche Lebensmittel auf.
Doch ihre trübe Stimmung hielt an.
Um Weihnachten beschlossen Murry und Katherine, sich zu trennen. Murrys Gleichgültigkeit und seine langen Gespräche mit Gordon Campbell und Lawrence verdrossen Katherine mehr und mehr. Sie erhielt glühende Liebesbriefe von Francis Carco, Murrys Pariser Freund, der damals im fran-

zösischen Heer bei Besançon stand und Katherine seine leerstehende Wohnung in Paris anbot.
Im Februar 1915 erschien in London der Bruder Katherines, Leslie, um sich zum Offizier ausbilden zu lassen. Er lieh Katherine das Geld für die Reise nach Frankreich, und nahe dem Quai des Fleurs, mit dem Blick auf den Blumenmarkt, richtete Katherine sich ein – wie es so reizvoll im *Feuille d'Album* beschrieben ist. Sie genoß die Pariser Luft und Sonne, und mit Carcos Hilfe unternahm sie die *Unbesonnene Reise*, die sie an die Front führte. In ihrem Tagebuch ist das Erlebnis anders als in der Erzählung geschildert – das Grauen vor den Folgen des Krieges tritt noch stärker hervor. Die paar Tage Beisammensein mit Carco erwiesen sich als Enttäuschung für Katherine, da sie ihn als ebenso egoistisch wie Murry erkannte. Im März kehrte sie nach England zurück,

Katherines Bruder,
Leslie Heron Beauchamp

jedoch nicht zu Murry, und bald darauf fuhr sie noch zweimal nach Paris, um in Carcos Wohnung zu schreiben. Sie überarbeitete die Geschichte *Wenn der Wind weht*, beendete die *Frühlingsbilder* und begann ein langes Prosastück, eigentlich eine Novelle, die zunächst den Titel *Aloe* erhielt und später als *Prélude* umgearbeitet und auf der Handpresse von Leonard und Virginia Woolf gedruckt wurde.
In einer hübschen Wohnung in der Acacia Road wohnte Katherine wieder mit Murry zusammen. Hier erhielt sie fast täglich Besuch von ihrem Bruder Leslie und plauderte mit

ihm über die Kindheit in New Zealand. Lawrence hatte inzwischen angeregt, eine Gruppe zu bilden und ein neues Blatt, *Signature*, herauszugeben, das ihre Ansichten verkünden sollte. Lawrence wollte über seine Philosophie schreiben, Murry über die Freiheit des Individuums und seine pazifistischen Ideen, und Katherine sollte Kurzgeschichten beisteuern. Nach drei Monaten ging das Blatt aus Mangel an Abonnenten ein. Katherine aber verlebte mit ihrem Bruder die fünf glücklichsten Monate ihres Lebens. Der Birnbaum im Garten der Acacia Road erinnerte sie so an ihre Kindheit, daß Katherine ihn später als wichtigstes Symbol in ihre Erzählung *Glück* aufnahm.

Als Beatrice Campbell eines Morgens Katherine in der kleinen Mansarde besuchte, in der sie immer schrieb, sah sie auf dem Schreibtisch das Foto von Leslie in Uniform – er war vor zwei Wochen an die Front gefahren. Beatrice erkundigte sich, ob sie gute Nachrichten von ihm habe, und Katherine sah sie verzweifelt an und antwortete seltsam hart: ›In Stücke zerrissen!‹ Ihr Bruder war bei einer Vorführung mit Handgranaten verunglückt, und Katherines Kummer war unermeßlich. Sie konnte es nicht ertragen, in der Acacia Road wohnen zu bleiben, wo sie so glücklich mit ihm gewesen war, und überließ das Haus Kots Freunden (später zog er selbst dort ein und blieb bis an sein Lebensende darin wohnen). Sie wollte nach Südfrankreich reisen, und Murry begleitete sie. Nach einigem Suchen fanden sie im Hotel Beau Rivage in Bandol Unterkunft, aber Katherines Trauer war unbesiegbar. Murry wurde so eifersüchtig, daß er sie voller Zorn verließ. In ihr Tagebuch schrieb sie: ›Ich bin bei dir ... Dir schenke ich meine tiefste Liebe. J. hat nur meine überschüssige Liebe.‹

Von Lawrence erhielt sie aus Hampstead einen Brief, der sie trösten sollte. ›*Ein* Leben ist's, das uns verläßt, ein Ich, das stirbt – aber ein anderes wird geboren, und das ist dein glückliches, schöpferisches Ich. Daß du mit deinem Bruder sterben mußtest, wußte ich ... doch für uns gibt es ein Auferstehen, um ein beständiges Leben zu beginnen, neu und glücklich.‹

Dann vergleicht er sie mit Murry, der nicht in diesen Tod hineinzugehen wagt, sondern davonläuft ... Eines Tages müsse auch er sich fügen – ›dann wird er ein Mann werden – er ist noch kein Mann‹.

Diese Zeilen deuten bereits auf den Zwiespalt zwischen Lawrence und Murry hin, der bald in einem unüberbrückbaren Zerwürfnis, ja in Feindschaft von Murrys Seite enden wird. Murry war also kein Trost für Katherine gewesen, trotzdem riefen ihn ihre flehenden Briefe zurück. Sie hatte ein kleines Häuschen, die Villa Pauline, in Bandol gefunden, wo sie beinah drei harmonische Monate zusammen verlebten, da jeder für sich schrieb, Murry an einem Buch über Dostojewskij und Katherine an der Überarbeitung von *Aloe*. Gegen Katherines Wunsch verließen sie im Frühling Bandol, weil die Lawrences sie aufgefordert hatten, in ein altes Haus zu ziehen, das er gleich neben dem ihren in Higher Tregerthen in Cornwall gefunden habe. Allerdings warnte er Katherine, nicht zu früh zu kommen. Lawrence war damals so gereizt, daß er dauernd Szenen mit Frieda hatte, die Katherine äußerst abstoßend fand. Auch die wilde, einsame Gegend gefiel ihr nicht, und sie zogen ins südliche Cornwall. Von dort aus fuhr Katherine oft nach London und nach Garsington, wo Lady Ottoline Morrell, die reiche und exzentrische Gönnerin von Künstlern, ein schönes Herrenhaus besaß. Als Katherine eines Tages mit Beatrice Campbell verregnet und zerzaust in Garsington eintraf und bewundernd durch die prachtvollen, mit kostbaren Bildern und Möbeln ausgestatteten Räume ging, wollte sie sich übermütig in einer Rolle zeigen und fragte Beatrice leise: »Ist dir auch so zumute, als wären wir zwei Prostituierte, die zum erstenmal in einem anständigen Haus sind?«

Ihr Humor hatte sie nicht verlassen.

Durch Freunde erhielt Murry einen Posten als Übersetzer im Kriegsministerium, und beide zogen im September nach London. Sie wohnten im ersten Stock eines Hauses an der Gower Street, dessen zweiten Stock die Malerin Dorothy Brett bewohnte, die emanzipierte Tochter des Viscount Esher, eine Freundin der Lawrences, die später auch mit ihnen nach New Mexico ging – als einzige, die sich für Lawrences Rananim-Pläne begeisterte. Sie wurde auch Katherines Freundin. Damals kehrte Ida aus Rhodesien zurück, konnte aber nicht bei den Murrys wohnen und nahm einen Posten in einer Flugzeugfabrik an. Katherine konnte das Leben in der Gower Street mit all den dort verkehrenden Literaten bald nicht mehr ertragen. Sie mietete sich ein Atelier in Chelsea, ein sonderbares Zimmer, das Ida an einen Brunnenschacht erinnerte. Es hatte eine Empore, auf der Ida schlafen durfte, wenn sie den letzten Bus verpaßt hatte. Dort war Katherine auch wieder von Angstvorstellungen geplagt. Oft lief sie nachts allein durch die Straßen. Allmählich begann sie wieder Freunde zu empfangen, schließlich auch Murry, der so unterernährt war, daß sie ihm täglich ein warmes Essen gab. Einige ihrer Erzählungen konnte sie ans *New Age* einsenden, unter anderem *Im Autobus*, *Spät abends*, *Die schwarze Mütze* und *Mr. Reginald Peacocks großer Tag*. Im Oktober wurde Murry nach Garsington eingeladen und erkältete sich, und Lady Ottoline rief Katherine, damit sie ihn pflegte, aber sie erkältete sich ebenfalls, mußte in ihr Atelier zurückkehren und bekam Brustfellentzündung. Sie blieb nicht im Bett, wie sie es Ida versprochen hatte. Sie wurde so schwer krank, daß ihr Arzt, ein Doktor Ainger, ihr riet, England sofort zu verlassen, sonst bekäme sie Schwindsucht. Einen Aufenthalt in der Schweiz hätte Katherine nicht bezahlen können, deshalb dachte sie an Bandol, das ihr schon einmal so gutgetan hatte, ohne zu bedenken, daß jetzt Krieg war und die Verhältnisse sich grundlegend geändert hatten. Ida und Murry konnten sie nicht begleiten, weil beide einen kriegswichtigen Posten bekleideten. Schwankend vor Schwäche reiste Katherine im Januar 1918 drei Tage lang durch Frankreich. Sie erkrankte, und Ida setzte es durch, daß sie Erlaubnis bekam, zu Katherine zu fahren. Sie war allerdings nicht beglückt über ihre Ankunft. Ihre Krankheit versetzte Katherine in solche Erregungszustände, daß sie die hilfsbereite Freundin beschimpfte und mit ihrem Haß verfolgte – Symptome, an denen auch Lawrence litt.

Als Katherine nach einem anstrengenden Spaziergang am nächsten Morgen einen Hustenanfall hatte, sah sie zum erstenmal Blut im Auswurf und erschrak entsetzlich. Obwohl sie Anfang des Jahres einige Erzählungen geschrieben hatte, wollte sie nun unbedingt nach England zurück. Nach vielen Komplikationen kam sie zunächst einmal mit Ida nach Paris, das damals der Beschießung durch die ›Dicke Bertha‹

ausgesetzt war. Drei Wochen lang mußten sie ausharren – oft in feuchten, kalten Kellern –, ehe sie weiterreisen konnten, und am zwölften April waren sie wieder in London, wo Murrys Freund, der Maler Fergusson, sie willkommen hieß. Am 29. April wurde die Scheidung der Ehe mit George Bowden ausgesprochen, und, am Stock wankend, konnte Katherine sich am 3. Mai mit Murry trauen lassen. Hinterher klagte Katherine Murry an: ›Kein einzigesmal hast du mich umarmt und deine Frau genannt! Es war genau wie mein dummer Geburtstag, an den ich dich auch immer erinnern mußte.‹ Die Wohnung war zu eng, und auch Murry litt unter diesem Zustand. Der Arzt war gegen ein Sanatorium und empfahl Kur und Disziplin im Hause. Katherines Freundin, die Malerin Anne Estelle Rice, riet ihr, nach Looe in Cornwall zu gehen, das ungefähr der Côte d'Azur entsprach. Dort wohnte Katherine in einer Art Pflegeheim, das ihr anfänglich gut gefiel. Sie schrieb die *Geschichte eines verheirateten Mannes* und die Skizze *Nelke.* Schließlich empfand sie das Hotel mehr als ein Sanatorium, litt unter den andern Patienten und sehnte sich nach einem eigenen Zuhause.

Murry hatte ein graues Steinhaus gefunden, das sie wegen seiner Größe ›Elephant‹ nannten. Katherine ließ es sehr schön einrichten. Sie hatte auch genug Personal; trotzdem war alles viel zu anstrengend für sie. Wer von ihren Freundinnen sie wiedersah, war entsetzt über die Veränderung, die mit ihr vorgegangen war. Sie litt wieder unter Rheumatismus und war sich ihrer Krankheit bewußt – denn sie vergaß es nie, daß Murry sich abwandte, wenn sie hustete. Im Herbst wurde Katherine so schwer krank, daß zwei Spezialisten dringend zu einem Sanatoriumsaufenthalt rieten. Sie widersetzte sich, und Murry war zu schwach, um ihr – was er sich sein Leben lang nicht verzeihen konnte – das Sanatorium aufzuzwingen. Unbegreiflicherweise überwinterte Katherine in England, umsorgt von Ida, der die Oberaufsicht über den Elephant anvertraut war. Eines Tages mußte sie im Garten einen riesigen Stoß Briefe verbrennen, die Katherine ihr geschrieben hatte. Zu Weihnachten wurde eine Party veranstaltet, auch sonst kamen viel Freunde ins Haus, vor allem ›die Brett‹ und Murrys jüngerer Bruder Richard, dem Katherine in mütterlicher Liebe zugetan war.

Katherine mit John Middleton Murry und Bruder Richard, Portland Villas, 1920

Auch ihre Kusine, damals schon Countess Russell, und die Schriftstellerin Virginia Woolf kamen, deren anfänglicher Neid sich mehr und mehr in Bewunderung und Mitleid verwandelte. Murry tat es den Woolfs nach, kaufte ebenfalls eine Handpresse und druckte im Gartenzimmer Katherines Erzählung *Je ne parle pas Français.* Einmal kamen auch Tante Belle und Schwester Chaddie in einer Kutsche zu Besuch, sie dachten aber nicht daran, eine Ausfahrt vorzuschlagen.
Im Herbst 1919 rät der Arzt Katherine, England zu verlassen. Das war ein furchtbarer Schlag, und in einem Brief an seinen Sohn aus zweiter Ehe, Colin, erinnert sich Murry daran: ›Als ich so alt war wie du – das wäre 1919 gewesen – oh ja, da war mein Bedarf gedeckt: nämlich mit dem Wissen, daß Katherine, wenn sie nicht in ein Sanatorium ginge und dort bliebe, nur noch drei Jahre zu leben hätte. Der einzige Glanzpunkt war es für mich, daß mir die Stelle als Redakteur des *Athenaeums* angetragen wurde und daß ich also ein Einkommen hatte.‹ Murry erhielt für seine Arbeit am Athenaeum jährlich tausend Pfund; er zahlte Katherine monatlich zehn Pfund für ihre Rezensionen. Sie beklagte sich oft, daß sie nur uninteressante oder schlechte Bücher zur Besprechung erhielte. Bis zum Dezember 1920 schrieb sie auch Gedichte fürs Athenaeum und drei neue Stories, *Wipp-wapp*,

Die Blume Sicherheit und *Vorstadtmärchen*, die jedoch erst nach ihrem Tode veröffentlicht wurden.
Murry brachte Katherine und Ida nach San Remo in das Hotel eines Engländers. Es wurde abgemacht, daß er sie nach acht Monaten wieder abholen würde. Den andern Gästen fiel Katherines Husten auf, und sie mußte das Hotel verlassen und sogar noch die Desinfektion ihres Zimmers bezahlen. Der Hoteldirektor verschaffte ihr ein kleines Chalet in Ospedaletti, die Casetta Deerholm, schön am Hang gelegen, mit Blick aufs Meer und reizendem Garten, aber kleinen Zimmern. Katherine wurde ständig von Schmerzen und Husten geplagt. Sie erhielt weder Briefe noch Zeitungen von Murry, und eine Buchhandlung gab es nicht, also las sie Shakespeare. Ida mußte in Katherines Zimmer auf dem Sofa schlafen, weil das Haus so isoliert lag und Katherine sich fürchtete. Da Katherine auch noch Ida ernähren mußte, die ihr ja alles geopfert hatte, schrieb sie an den Bankverwalter in London und schilderte ihm ihre bedrängte Lage. Ihr Vater erhöhte daraufhin – vorübergehend – ihre Jahresrente. Im November kam der Vater mit zwei Damen – Katherines Kusine Connie Beauchamp und deren Freundin Jinnie Fullerton – zum Mittagessen. Sie wohnten in Mentone in einer luxuriösen Villa und schlugen vor, daß Katherine sich bei ihnen erholen solle. Sie hatte gehofft, Murry würde Weihnachten zu ihr kommen, und als er absagte, war die Enttäuschung so groß, daß sie ihm einen bitteren Brief mit einem anklagenden Gedicht schickte. Das Gedicht ging auf die Äußerung eines alten Arztes zurück, den sie vor vier Jahren in Bandol kennengelernt hatte und der es nicht begreifen konnte, daß Katherine ohne ihren Mann ganz allein dort unten leben mußte. ›Warum hat er Sie geheiratet, wenn nicht, um Sie zu betreuen?‹ In seinem Aufsatz *Portrait of a Pa-Man* hat Murry viele Jahre später über den Vorfall geschrieben, wie er ihm von Katherine berichtet worden war. Als Gesunde wäre sie einem schwachen Mann wie Murry durchaus gewachsen gewesen, aber als Kranke hätte sie einen fürsorglichen ›Pa-Mann‹ gebraucht (ein Ausdruck, der in der Familie Beauchamp für einen älteren Mann gebräuchlich war). Am meisten trafen ihn diese vier Zeilen ihres Gedichts:

›Wer ist der Mann, der dich verbannt
Wer ist der Eh'mann, wer der Stein,
krank und kalt in ein fernes Land,
der ein Kind wie dich läßt so allein?‹

So quälten sie einander gegenseitig mit einem nur zu begreiflichen Gemisch aus Liebe und Stolz, Zorn und Verzweiflung. Nun unterbrach Murry seine Arbeit als Redakteur am *Athenaeum* für zwei Wochen und besuchte Katherine zu Weihnachten in Ospedaletti, erschien aber mit einer Neuralgie, die an Katherines Mitgefühl appellierte. Selbst in der knappen Zeit seines Dortseins ging es ihr gleich viel besser, doch nach seiner Abreise fühlte sie sich wieder elend und schrieb in ihr Tagebuch: ›Schwarz! Ein Tag in der Hölle ... Unfähig, etwas zu tun ... Trank Kognak ... Fest entschlossen, nicht zu weinen ... Weinte ... Gefühl der Verlassenheit schrecklich. Werde sterben, wenn ich nicht entkomme. Übelkeit, Schwäche, fror vor lauter Kummer. Oh, irgend-

Katherine in der Villa Isola Bella,
Menton 1920

wie *muß* ich es ertragen!‹ Und ein paar Tage drauf: ›Ich liebe ihn, aber er verschmäht meine *lebendige* Liebe. Die schlimmsten Tage meines ganzen Lebens.‹

Nach einem seiner Briefe, der sie tief verletzt hatte, schrieb sie ihm: ›Ich will in keiner Weise von dir abhängig sein, noch kannst du mich unsicher machen. Das kann niemand!‹ Als er ein paar Tage darauf erschien, war sie ernstlich erkrankt, und auch ihr Seelenfrieden war zerstört.

Sie verurteilte auch seinen Geiz. Als sie ihn telegraphisch um zehn Pfund gebeten hatte, weil sie wieder krank war, antwortete er: ›Ich werde dir morgen einen Scheck über zwanzig Pfund schicken, *falls* du sie mir zurückzahlst, wenn du das Geld für dein Buch bekommst.‹ Katherine konnte darauf nur zornig reagieren, doch an Ida schrieb sie ein andermal, die Situation ins Lächerliche ziehend: ›Bei der wöchentlichen Abrechnung verlangte er von mir elf Francs plus zwei Francs Trinkgeld (die Hälfte also!) für den Wagen, mit dem wir zu meinem Arzt fuhren! ... Das übertrifft sogar noch meinen Vater!‹

Im Januar schrieb sie ihre Erzählung *Der Mann ohne Temperament*, eine schlimme Betrachtung, wie Murry gehandelt hätte, wäre er gegen seinen Willen gezwungen worden, bei seiner Frau zu bleiben. In einem Brief an Murry erklärte sie, wie dankbar sie jetzt Idas Treue anerkenne, auf die sie sich verlassen könne. Im gleichen Monat kamen ihr endlich die Kusine Connie und deren Freundin zu Hilfe und luden sie nach Mentone ein – leider nicht in ihre Villa Flora, wo sich gerade eine Bekannte von ihnen aufhielt, die sich vor der Ansteckung fürchtete, sondern in die Klinik L'Hermitage. Die nach unsäglichen Mühen vollzogene Übersiedelung bedeutete für Katherine zunächst Erleichterung, doch die Mitpatienten stießen sie ab. Erst als sie ein ärztliches Attest vorwies, daß ihre Krankheit nicht ansteckend sei, durfte sie in die Villa Flora ziehen, wo sie nun allen Luxus genoß, den ihr die reichen alten Damen bieten konnten, so auch die Ausfahrten – einmal nach Monte Carlo, das sie korrupt fand (was aus ihrer Erzählung *Das junge Mädchen* nicht unmittelbar hervorgeht).

Unterdessen arbeitete Ida in einer Privatklinik in Mentone, wo sie einen vertraulichen Brief Katherines empfing, daß die beiden Damen, katholische Konvertiten, sie gern bekehrt sähen und daß sie fast zum Übertritt bereit sei, es aber nicht an Murry schreiben wolle. Sie fühle sich noch immer sehr leidend. ›Aber ich werde darüber hinwegkommen. Doch ich brauche dich und verlasse mich auf dich – verlasse mich ganz fest auf dich, kann dir jedoch nicht danken, dir nichts geben, nur meine Liebe. Die hast du immer.‹

Im Frühling 1920 erhielt sie Besuch vom Schriftsteller Sydney Schiff und seiner Frau Violet, woraus sich eine anregende Freundschaft entwickelte. Katherine hatte seinen Roman *Richard Kurt* in einer Rezension beifällig beurteilt. In seiner Zeitschrift *Art and Letters* waren zwei Stories von Katherine erschienen (*Der Mann ohne Temperament* und *Frühlingsbilder*). Er lud sie auch in seine Villa ein und zeigte ihr seine Sammlung von Gauguin und Picasso. In ihren Briefen an Murry betonte sie das Verständnis, die Güte und die Anregung, die sie bei den Schiffs fand.
Im April 1920 kehrte sie für fünf Monate nach England zurück und wohnte im Elephant. Dort schrieb sie jeden Monat eine Story für das *Athenaeum: Enthüllungen*, *Die Rettung*, *Bankfeiertag* und *Sonne und Mond*. Auch ihre Übersetzung von Tschechows Tagebuch, die sie mit Kots Hilfe gemacht hatte, erschien im *Athenaeum*. Ihre zweite Storysammlung, englischer Titel *Bliss* (nach der Geschichte *Glück*) wurde vom Verlag Constable in London 1920 herausgebracht und sehr gut kritisiert.
Im September 1920 fuhren Katherine und Ida, um dem englischen Winter zu entgehen, wieder nach Mentone, wo sie in der Villa Isola Bella wohnten, die Connie und Jinnie gehörte – ein Haus mit Terrasse an einem Steilhang, mit Büschen und Blumen im Garten und mit einer Köchin. Dort lag Katherine auf einem Liegestuhl unter einem Schirm und las, oder sie schrieb noch mehr Stories. Bis Dezember hatte sie verfaßt: *Das Leben der Ma Parker*, *Miss Brill*, *Das junge Mädchen*, *Der Fremde*, *Gift* und *Die Töchter des jüngst verstorbenen Colonel Pinner*. Die letztere Geschichte – eine ihrer großartigsten – wurde eines Nachts um drei Uhr beendet, und vor Freude darüber mußte sofort mit Tee gefeiert werden, wofür Ida in diesem Fall ganz besonderes Verständnis hatte,

Die Villa Isola Bella in Menton

da der alte Colonel ja ein Abbild ihres Vaters war. Katherine schickte fortlaufend Kritiken von Büchern, die sie langweilten, an Murry und erhielt vom Athenaeum monatlich zehn Pfund – bis plötzlich überhaupt kein Geld mehr kam. Ihre Erschöpfung hatte ohnehin so zugenommen, daß sie das Rezensieren aufgeben mußte. Murry hatte ihr einen Roman von Richard Prowse geschickt *A Gift of the Dusk*, das Tagebuch eines in der Schweiz lebenden Schwindsüchtigen, das sie entsetzlich fand.

Zu Weihnachten besuchte Murry die Villa Isola Bella, was Katherine etwas Auftrieb gab – meistens fühlte sie sich elend, hatte unerträgliche Schmerzen und keinen guten Arzt. Wegen des hohen Fiebers mußte sie wieder im Bett bleiben, hatte auch eine Lungenentzündung zu überstehen und litt unter der Einsamkeit und unter Herzschwäche. Kurz vor Murrys Ankunft hatte Katherine einen Brief von der in Murry verliebten Prinzessin Bibesco erhalten, die sie tadelte, weil sie, eine hoffnungslos Kranke, Murry an sich fessele. Katherine verhielt sich zuerst sehr würdevoll und schrieb Murry: ›Ich weiß, wie sehr du auf Frauen wirkst ... solange sie sich nicht einmischen, bist du sicher gern mit ihnen zusammen ... Du hast ja sogar etwas von einem Ladykiller an dir ... ich kann dir nicht *alles* geben, was du brauchst ... Ich bin in erster Linie eine Schriftstellerin, und dann erst eine Frau ... ich war blind, daß ich deinen Flirt mit Brett damals nicht begriff ...‹ Doch als sie noch wiederholt angegriffen wurde, wehrte sie die Prinzessin hochmütig mit einem der vielen unveröffentlichten Briefe ab, die Jeffrey Meyers in der Universität Texas zugänglich gemacht wurden und die er in seinem mit Überraschungen gespickten Buch *Katherine Mansfield* verwerten konnte.

Während Murry nochmals in Mentone war, fuhr Ida nach London, um den Haushalt im Elephant aufzulösen. Der Arzt hatte Katherine empfohlen, nicht länger an der Riviera zu bleiben. Katherine entschied sich für die Schweiz, und Ida brachte sie zunächst nach Baugy ob Montreux und dann nach Clarens. Murry blieb in Oxford, wo er Vorträge über Stilprobleme hielt, die seinen Ruf als Literaturkritiker begründeten. In Clarens war gerade das Frühlings-Narzissenfest; Katherine konnte nicht auf die Straße hinuntergehen, aber Ida brachte ihr die duftenden weißen Blüten ins Zimmer. Der nächste Schritt war das von Ida vorher erforschte Sierre im Rhônetal, wo im alten Schloßhotel Belle Vue die Geschichte *Vater und die Mädchen* spielte: der Leser kann sich gut vorstellen, daß die kleine Familie in den schönen Räumen vielleicht doch endlich zur Ruhe kommt. – Aber Katherine mußte weiter: der englische Arzt empfahl ihr Montana und dort das Chalet des Sapins, wo Katherine im oberen Stock ein Zimmer mit Balkon und herrlichem Ausblick hatte. In einem Brief an Lady Ottoline schrieb sie: ›Das Chalet liegt ganz abseits in einer Waldlichtung. Die Fenster schauen über die Baumwipfel zu den schneebedeckten Bergspitzen jenseits des Tals. Die Luft fühlt sich herrlich an und riecht noch herrlicher. Ich habe vorher nie in einem Wald gewohnt: ein Schritt aus dem Haus, und man ist versteckt in Tannen. Und kleine Lichtungen gibt es und Dickichte voller Blumen, durch die eiskalte Bächlein rieseln.‹

Im Juni hatte Murry seine Vorlesungen in Oxford beendet.

Er besaß in England kein Haus mehr und blieb den ganzen Sommer und Winter bis zum Januar 1922 in Montana. Katherine schrieb dort eine ganze Reihe von Erzählungen: *An der Bucht*, *Das Gartenfest*, *Das Puppenhaus*, *Eine Tasse Tee*, *Marriage à la mode*, *Ihr erster Ball*, *Eine ideale Familie*, *Herr Tauber und Frau Taube*, *Die Seereise* und *Sixpence*. Sie begann mehrere andere, so *Ein schwaches Herz*. Ida konnte einen

Das Ehepaar Katherine und John Middleton Murry in Menton, 1920

Posten in einer Klinik in Montana annehmen, am Ende vom Dorf, wo sie auch wohnte. Zwischendurch fuhr sie nach London, besorgte Winterkleidung für Katherine und holte die Katze Wingley. Katherine und Murry arbeiteten beide in schönster Harmonie, wie stets, wenn Katherine sich nicht verlassen fühlte. Nach der Arbeit sprachen sie über literarische Probleme, über Keats und Proust: Murry wurde als Keatsforscher bekannt. Die kräftige Luft tat Katherine wohl, sie nahm noch mehr Arbeiten an. Als sie Enteritis und

Dysenterie mit hohem Fieber hatte, konnte sie sich wieder auf Idas Beistand verlassen, da Murry ihr nicht helfen und nützen konnte.

Im Januar 1922 begann sie die Erzählung – eigentlich eine längere Novelle – *Das Taubennest* und die New Zealand-Erinnerung *Den Schleier nehmen.* Jetzt setzte sich schon der Gedanke in ihr fest, daß sie, um besser schreiben zu können, ihr Selbst heilen müsse, denn die Lunge sei nicht das primäre Leiden. Inspiriert dazu war sie wohl durch das Buch des Theosophen Doktor Wallace *Cosmic Anotomy*, der auch für die Zeitschrift *New Age* geschrieben und sie unterstützt hatte. Damit näherte sich Katherine wieder ihrem ersten Gönner, dem Redakteur Orage, dem sie für ihre Kunst zu Dank verpflichtet war. Von dem Buch war sie fasziniert, während Murry diese Gedanken ablehnte. Ende November berichtet sie in ihrem Tagebuch, daß sie zwei Erzählungen begonnen habe, und daß die eine, *Ein schwaches Herz*, sie besonders interessiere – wegen des Wechsels der Zeitformen. Es war auch eine New Zealand-Geschichte; dort war ihr der ›Stoff‹ noch lange nicht ausgegangen. Wie sie es ihrem toten Bruder Leslie versprochen hatte, wollte sie immer mehr über New Zealand schreiben, das heißt, über die dort verlebte Jugendzeit. Als der Schnee einsetzte, streute sie den Vögeln Futter, las Shakespeare, die Bibel und die *Cosmic Anotomy*. Murry trieb Wintersport, abends ging er, wie Katherine annahm, nach Randogne zu ihrer Kusine; sie war die einzige Frau, die Katherine in jenen Monaten sah. Die Ergiebigkeit jener stillen Zeit manifestierte sich in einer dritten Sammlung von Erzählungen *Das Gartenfest*, die im Februar 1922 bei Constable in London herauskam. Die Kritiken klangen noch überzeugter als bei Erscheinen des zweiten Buches. Ihr Genie wurde jetzt allgemein anerkannt, man glaubte sogar eine neue Seite zu erkennen: mehr Mitgefühl, mehr Erbarmen. Sie half einem andern Schriftsteller, dem jungen William Gerhardi, las seinen Roman *Futility* (deutsch *Vergeblichkeit*) und fand einen Verlag dafür.

Der getreue Freund Kot berichtete Katherine von der Bestrahlungskur des Doktor Manoukhin, die bei Tuberkulose wirksam sein sollte. Katherine griff die Anregung sofort auf und fuhr mit Ida, die ihre Stelle in der Klinik aufgab, nach

S. Koteliansky mit Katherine, Portland Villas, 1920

Paris, weil Murry sich noch nicht von Montana trennen wollte. Der Arzt empfing sie und fand, es sei am besten, wenn Katherine gleich in Paris bliebe und sofort mit der Kur begänne. Sie sollte bis zum 31. Mai behandelt werden, dann wollte er eine längere Pause einschalten, bevor man mit dem zweiten Teil der Kur beginnen könne. Die Bestrahlungskur war sehr anstrengend, und vermutlich schadete sie ihr. Sie fand, die innere Hitze gliche den Qualen, die ein Märtyrer beim Feuertod erduldet. Murry merkte inzwischen, daß ihn das Leben im Chalet langweile, und er fuhr nach Paris. Katherine beendete die Geschichte *Die Fliege*, die als eine ihrer besten gilt. Die sich gegen den Untergang auflehnende Fliege ist natürlich ein Sinnbild für Katherines eigenes Ringen. Da es Katherine zeitweilig besser ging – sie hatte sogar etwas zugenommen –, konnte sie das Leben in Paris genießen. Durch Manoukhin lernte sie russische Emigranten kennen, sie traf die beiden Schiffs und wurde durch sie auch mit James Joyce bekannt, dessen *Ulysses* sie mit großem Respekt erfüllte. Dann bereitete sie eine vierte Sammlung mit Geschichten vor, die den Titel *Das Taubennest* erhalten sollte, aber erst nach ihrem Tode von ihrem Nachlaßverwalter Murry herausgegeben wurde. Sie selbst hätte die Sammlung

wahrscheinlich anders gestaltet, wie Murry selber zugab, doch er wollte das Buch so schnell wie möglich herausbringen.
Das Chalet des Sapins war noch für fünf Monate gemietet, und Katherine wollte es gern an Untermieter abgeben, da sie nicht wußte, wie sie das Geld für die Miete aufbringen sollte. Das Leben in der Großstadt war ihr verhaßt: ›Es ist eine Sünde, zwischen Mauern und Schornsteinen zu leben‹, schrieb sie. Sie sehnte sich nach Gras und Blumen und danach, unter einem Baum zu liegen – ›lebendig, nicht tot‹. Für den Herbst plante sie eine Reise mit Murry nach New Zealand, um den *dortigen* Sommer zu erleben. ›Ich muß wieder arbeiten – werde nie eine wohlhabende Frau sein‹, erklärte sie in einem Brief – und machte weitere Pläne – Deutschland, Österreich, alles war verlockend.
Ida hatte Pensionärinnen für das Chalet gefunden (nach Murrys Ankunft in Paris hatte sie ihr Pariser Hotelzimmer geräumt und Murry überlassen, um in Montana nach dem Rechten zu sehen). Die Sammlung *Das Gartenfest* erlebte unterdessen die dritte Auflage, die ausländischen Rechte wurden nach Skandinavien und Nordafrika verkauft. Murry war so in seine eigene Arbeit vertieft, daß er Katherine nicht störte, und im Juni beschlossen sie, ins Wallis zurückzukehren. Ida war also wieder einmal überzählig und hoffte, eine Teestube in Südengland aufzumachen. Bei der Durchreise sah sie Katherine in Paris, und beiden war das Herz schwer; sie hatten ein schlimmes Vorgefühl, das sich auch als richtig bestätigte. Nachdem Katherine in noch verhältnismäßig gutem Zustand den Louvre besucht hatte, begab sie sich mit Murry auf die Reise nach Sierre – und durchlebte einen Alptraum. Murry war gänzlich unfähig, für eine Kranke als Reisebegleiter zu sorgen. Alles ging schief, da er weder umsichtig noch praktisch war; Katherine traf geschwächt und verkühlt in Randogne ein und bekam eine Brustfellentzündung. Murry konnte nicht begreifen, weshalb Katherine litt und schlecht aussah. Deshalb mußte der Hilferuf an Ida heimlich ergehen, um Murry nicht zu kränken. Ein diplomatisch abgefaßter Briefentwurf ging nach England, und Ida kam und bemühte sich, Murry nicht auf die Nerven zu fallen und seinen verstauchten Knöchel zu pflegen.

Katherine ging spazieren, oder sie saß unter einem Baum und genoß den Alpensommer, versuchte zu arbeiten und schrieb die Story vom *Kanarienvogel.* Da sie und Murry sich auseinanderlebten, zog sie mit Ida in das alte Schloßhotel in Sierre, wo sie *Vater und die Mädchen* begann. Dort entstand auch ein erschütterndes Gedicht *Der verwundete Vogel.* Sie genoß die Stille des Hotelgartens, der sogar eine Aloe aufwies. Im August setzte sie dort ihren Letzten Willen auf, den sie mit Ida durchsprach. Über den aus Perlen gebildeten Margeritenring, den Murry ihr geschenkt hatte, als ›sie jung waren‹, schrieb sie am 7. August 1922 an Murry (der ins Haus der Kusine Elizabeth nach Randogne gezogen war): ›Meinen kleinen Perlring, den Margeritenring, möchte ich gern tragen – den andern gib Richards Schatz, wenn du einverstanden bist.‹ Aber wie Murrys Biograph F. A. Lea schreibt, war Murry Ostern 1924 offiziell mit Violet le Maistre verlobt und sandte Violet mit der Post den kleinen Margeritenring, ehe er zu einem Osterausflug mit seinem Bruder Richard aufbrach, sich in ein Haus am Meer verliebte und es ersteigerte, obwohl er nicht wußte, wie er es bezahlen sollte. Zum Glück erhielt er einen Scheck über tausend Pfund für Katherines Bücher. ›Ein Scheck, der zehnmal so groß ist als jeder

John Middleton Mury, 1923 und Violet le Maistre, seine zweite Frau

Scheck, den Katherine je erhalten hat‹, schrieb Murry. ›Es kam mir zuerst wie Ironie vor – dann, auf meine abergläubische Art, fand ich, daß Katherines Segen auf unsrer Ehe und dem Haus am Meer ruhte.‹

Doch noch lebte Katherine! Wie Murry in seiner Einführung zu Katherines viertem Buch erklärt, hatte sie im Herbst 1922 auf alles Schreiben verzichtet, nicht aus Schwäche, sondern weil sie fand, ihre ganze Einstellung und Weltanschauung müsse geändert werden und sie wolle erst wieder weiterschreiben, wenn ihr das gelungen sei. Die Unzufriedenheit mit ihrer Arbeit hatte bereits im Sommer 1921 eingesetzt. Ihr Tagebuch gibt aufschlußreiche Eintragungen über Ziel und Absichten für ihre Kunst, denn es ist ihr wahrer Vertrauter, den sie anredete: ›Komm, mein Nicht-Gesehener, mein Unbekannter, laß uns zusammen plaudern!‹ Sie war nicht in der Stimmung für Bücher, obwohl sie weiß, daß sie in Zukunft wieder schreiben will – mehr als alles sonst. ›Aber andere Bücher!‹ Sie ruhte sich weiterhin im Hotel aus und machte sogar kleine Ausflüge zu den Dörfern in der Umgebung, wenn dort ein Volksfest stattfand. Ida ließ sie in Ruhe. Brett kam zu Besuch und malte, plauderte aber auch halbe Nächte hindurch, so daß Katherine Ida bat, für eine Unterbrechung zu sorgen (was Brett als Eifersucht Idas deutete). Ende August kam Murry, und Katherine beschloß, nach England zu reisen, ehe sie sich der zweiten Strahlenbehandlung in Paris unterzog. Sie wollte sich in London von Doktor Sorapure untersuchen lassen, freute sich aber vor allem auf die Wiederbegegnung mit Kot und Orage. Sie wohnte in Bretts Häuschen an der Pond Street, während Murry nebenan untergekommen war. Ida erschien täglich, um für Katherine zu sorgen. Gegen Bretts Überfälle verteidigte sie sich mit Schildern an der Tür: AUS oder ARBEITE! Katherines alter Verleger Orage führte sie zu den Vorlesungen Ouspenskys, der ein Schüler Gurdjieffs war, eines Kaukasiers griechischer Abstammung. Er lehrte, wie die Menschen zur wahren Bewußtheit erwachen können. In den folgenden Monaten war Murry nicht in London, weil ihm der ganze Mystizismus verhaßt war, und auch die harmonische Entwicklung des Menschen und Gurdjieffs

Buch mit dem Titel *Schulung des Willens* interessierten ihn nicht. Da Katherine immer mehr zu der Überzeugung gelangte, sie könne ihren Körper heilen, wenn sie ihre Seele rettete, fühlte sie sich geradezu unwiderstehlich von den Lehren der beiden Russen angezogen. Murry aber entfernte sich auch innerlich immer weiter von Katherine, denn er hielt Gurdjieff für einen Scharlatan. Die nächsten sechs Monate lebten sie nicht mehr zusammen. Ihr Freund Kot war ihre Stütze.

Anfang Oktober fuhr Katherine in Idas Begleitung nach Paris, angeblich, um die zweite Kur bei Manoukhin zu beginnen, sie hoffte aber, durch Orage Zugang zu Gurdjieff und seinem Institut zu finden, das er in Avon bei Fontainebleau in einer alten Prieuré gegründet hatte. Etwa dreißig Russen und einige Engländer hatte er um sich versammelt. Manoukhin beschrieb ihm Katherines Krankheit und bat ihn, sie einstweilen nicht aufzunehmen, denn sie sei der anstrengenden ›Willensschulung‹ nicht gewachsen. Murry war erst recht dagegen, war aber zu unentschlossen, um seinen Willen durchzusetzen und Katherine vor dem raschen Untergang zu bewahren. Am 17. Oktober trat Katherine – zunächst probeweise – in das Institut ein. Hier gewann sie eine Freundin in einer Litauerin, Adèle Kafian, und erhielt ein sehr schönes Zimmer zugewiesen. Über die Aufgaben, die ihr aufgetragen wurden, berichtete sie an Kot und an Ida, erklärte, sie sei glücklich, und ließ sich Wäsche und warme Kleidung schicken. Dann verabschiedete sie sich schriftlich auf unbestimmte Zeit von der trostlos unglücklichen Ida, der sie geschildert hatte, was für schwere Arbeiten sie in der Küche und bei den Kühen erledigen mußte, um ›den Willen zu besiegen‹. Sie schaffte die Arbeit, wenn auch mühsam, solange sie noch ihr gutes Zimmer hatte, doch dann mußte sie in eine primitive Kammer übersiedeln, die feucht und eiskalt und zugig war. Dort träumte sie vom warmen Süden und schlug Ida vor, im Spätfrühling mit ihr in ein Haus im Süden zu ziehen, sobald sie in Fontainebleau ›geheilt‹ sei. Ida war überzeugt, daß sie Katherine nie wiedersehen würde und nahm eine Stellung in einer Bauernfamilie in Lisieux an. Katherine hatte ihr zwar zu Mentone oder Montana geraten, aber jene Orte hätten zu schmerzliche Erinnerungen wachgerufen, und außerdem weilte Ida gern bei einfachen Menschen und bei Tieren.

Mitte Dezember fühlte sich Katherine in ihrer eisigen Zelle so elend, daß sie Murry schrieb, sie sei im Begriff, das Institut zu verlassen, denn das Zimmer sei ihr eine hinreichende Lehre gewesen. Gurdjieff erfuhr von ihrem Zustand, wies ihr wieder das bessere Zimmer an und verwöhnte sie mit einer wunderlichen Heilmethode, die auf einem Aberglauben in seiner kaukasischen Heimat fußte: daß nämlich die Luft im Kuhstall heilkräftig für die kranke Lunge sei. Er ließ im Kuhstall eine Empore errichten, stattete sie mit einem Diwan und Perserteppichen aus und verordnete Katherine dort eine Liegekur.

Am 13. Januar sollte Weihnachten in russischem Stil gefeiert und ein von den Patienten gebautes Theater eingeweiht werden. Katherine lud Murry dazu ein und berichtete von den sagenhaften Mengen Fleisch und anderer Lebensmittel, die dafür angeschafft worden waren. Als Murry eintraf, war er erstaunt, sie so strahlend glücklich und wie verwandelt und verklärt zu sehen. Sie zeigte ihm die Empore im Kuhstall und führte ihn herum. Am Abend lernte er die Insassen des Instituts kennen. Als sie um zehn Uhr die Treppe zu Katherines Zimmer hinaufstiegen, überfiel sie ein starker Hustenreiz – sie mußte sich aufs Bett legen, erlitt einen Blutsturz und starb innerhalb von zwanzig Minuten unter den Händen der von Murry herbeigerufenen Ärzte. Auf Murrys Telegramm hin eilte Ida herbei. In ihrem Erinnerungsbuch schilderte sie, wie sie Katherine am nächsten Morgen in ihrem kahlen Sarg sah und die Freundin mit dem Stickereischal bedeckte, den Katherine so gern gehabt hatte. Freunde aus London kamen, Kot erhielt zu seinem Kummer keine Erlaubnis. Beim Essen erhob sich die sonst so scheue Ida und tadelte die Anwesenden, weil sie die Tote kritisierten, die sich nicht mehr verteidigen konnte. Dann fand die Beerdigung statt, von Murry erwartete man, daß er Erde ins Grab werfen sollte, aber er unterließ es. Ida warf ihrer Freundin die gelben Ringelblumen nach, die sie immer geliebt hatte. Am Abend fand das Fest ohne Katherine statt, und Murry sprach und lachte so hysterisch, daß Ida sich seiner erbarmte und ihn auf sein Zimmer führte.

Am 2. Februar sandte Lawrence aus Taos in New Mexico seinem alten Feind Murry einen Kondolenzbrief. ›Ja, etwas ist für immer aus unserm Leben gegangen!‹ Auf der Durchreise durch Wellington hätten er und Frieda mit einer Postkarte an Katherine gedacht. Ob sie sie erhalten habe? – Sein tief empfundenes Beileid muß aussöhnen mit der bösartigen Verwünschung, die er einst aus seiner eigenen Ohnmacht heraus von Capri an Katherine geschickt hatte. Das Buch *Son of Woman*, das Murry dann über Lawrence schrieb, wurde von seinen Zeitgenossen als abscheulich und von Huxley treffend als Beispiel einer rachsüchtigen Hagiographie bezeichnet.
Auf Katherines Grabstein ließ Murry eine Inschrift einmeißeln:

Katherine Mansfield
Frau des John Middleton Murry

Sie war allerdings noch weit mehr als nur das gewesen, im Leben und nach ihrem Tode. Als Grabspruch wählte er die Worte aus Henry IV., die Katherine ihrer Erzählung *Die Blume Sicherheit* vorangestellt hatte: ›Aber ich sage Euch, Mylord Narr, aus dem Nesselbusch Gefahr holen wir uns die Blume Sicherheit.‹ Diesen Spruch hielt Murry für prophetisch, wie er in seiner Einführung zu Katherines viertem Buch erklärt. Es scheint uns keine Prophezeihung, sondern die Devise eines unerschrockenen, wagemutigen Lebens zu sein. In der Erzählung bezieht es sich auf die Heldin, die genau weiß, daß sie die Gefahr – ihre Krankheit – nicht überleben wird und diese Tatsache vor ihrem törichten Mann verbirgt.

Über Murrys weiteres Leben ist nur die allgemein bekannte Tatsache zu erwähnen, daß er, um sein Schuldgefühl zu beschwichtigen, einen Mansfield-Kult und eine Legende ins Leben gerufen hat, was Katherines Absichten völlig widersprach. In ihrem Augustbrief aus Sierre hatte sie ihn gebeten, so wenig wie möglich zu veröffentlichen und soviel wie möglich von ihren Manuskripten, Tagebüchern und Briefen zu vernichten. Zu ihren Lebzeiten erschienen drei Bücher mit Erzählungen, von denen sie noch einigen Nutzen hatte. Die Flut von Veröffentlichungen, die Murry nach ihrem Tode vornahm, sieht so aus:

1923 *The Doves' Nest.* Constable
1924 *Poems.*
1924 *Something Childish but very natural.* Constable
1924 *The Little girl and other stories.* (Amerik. Titel) Knopf, New York
1927 *The Journal of Katherine Mansfield*, edited by JMM. Constable.
1928 *The Letters of Katherine Mansfield*, edited by JMM. Constable
1930 *The Aloe* (Erstfassung von Prélude) Constable.
1930 *Novels and Novelists.* (Rezensionen) Constable.
1939 *The Scrapbook of Katherine Mansfield*, edited by JMM. Constable.
1945 *The Collected Stories of Katherine Mansfield*, edited by JMM. Constable.
1951 *Katherine Mansfield's Letters to JMM* (erweitert und ungekürzt). Constable.
1954 *Journal of Katherine Mansfield*, edited by JMM, definitive Ausgabe, Constable.

Außerdem die *Ausgaben in Übersetzungen* und *Bücher über Katherine Mansfield.*

In seinem gemeinsam mit Ruth Mantz verfaßten Buch *The Life of Katherine Mansfield* (New Zealand, 1933), das nur Katherines Leben in New Zealand behandelt und mit der Begegnung in London endet, erklärt Murry am Schluß, der Rest von Katherines Leben – ›kurze elf Jahre‹ – sei von ihrer eigenen Hand in ihren *Tagebüchern* und *Briefen* beschrieben. ›Was sie war und was sie wurde, ist in ihnen mit viel größerer Wahrheit erzählt, als sie ein Biograph jemals zu erreichen hoffen könnte.‹ Vieles sei nur teilweise oder gar nicht veröffentlicht worden, und es würde wahrscheinlich noch viele Jahre dauern, bevor es veröffentlicht würde, doch könne dadurch nichts Wesentliches hinzugefügt werden. Es sei bereits vorhanden – ein Bild ihres Lebens.

Diese eigenartige Überschätzung der Tagebücher und Briefe hat natürlich auch zur Legendenbildung beigetragen. Soviel Schönes in ihnen enthalten ist, soviel Unwesentliches und Ungestaltetes wurde leider nicht ausgemerzt, wie es Katherines Wunsch entsprochen hätte. Gerade diese ›kurzen elf Jahre‹ stehen unter dem Zeichen ihrer übergroßen und verhängnisvollen Liebe zu Murry, der ihr Leben, wenn es not tat, nicht in die Hände nehmen konnte, sondern jemanden brauchte, der sein Leben in die Hand nahm, damit er unbehindert seine bedeutende Begabung als hochintelligenter Kritiker und Biograph entwickeln und pflegen konnte. Einen solchen Menschen hat er in seiner vierten Frau Mary gefunden, mit der er eine Community-Farm bewirtschaftete.

In unserem Nachwort ging es bisher nur um die unzähligen Stationen des *Lebenswegs* unserer Autorin und um den Einfluß, den der *Schauplatz* jeweils auf ihr Werk hatte. Über die *Qualität* ihrer Erzählungen ist so unendlich viel und auch Widersprüchliches geschrieben worden, daß wir uns hier nur mit einigen Hinweisen begnügen.

I.

Die oft wie Karikaturen wirkenden Skizzen und Geschichten ihres ersten Buches *In einer deutschen Pension* scheinen bereits hinlänglich durch die obige Lebensschilderung beleuchtet. Daß sie während des ersten Weltkrieges gegen eine Neuauflage war, obwohl sie ihr bei der damals herrschenden deutschfeindlichen Stimmung das gar so nötige Geld eingebracht hätte, spricht für ihren Charakter, der vorbildlich und integer war. Sie empfand das Buch überdies als unreif und wehrte eine Neuauflage mit der lachenden Antwort ab: ›Nicht jetzt – noch nicht – erst wenn ich etwas Substantielles geschaffen habe und mein erstes Buch in der richtigen Perspektive gesehen werden kann . . . Wenn die Zeit für eine Gesamtausgabe kommt . . .‹ Von der jugendlichen Bitterkeit hatte sie sich längst abgewandt und verabscheute den Zynismus, zu dem sie durch die Richtlinien der Zeitschrift *New Age* fast gezwungen worden war. Sie war mit immer neuer Selbstkritik an die Weiterentwicklung ihrer Kunst herangegangen. In ihrem ersten Buch fallen einige Geschichten aus dem Rahmen: die an Tschechow angelehnte Erzählung vom KIND-DAS-MÜDE-WAR und sodann die zwei Erzählungen *Frau Brechenmacher* und *Der Geburtstag*, die in ihrem krassen Realismus schon eine Weiterentwicklung zeigen. Daß der Geburtstag sich auf Katherines Eltern bezieht und gar nicht auf ein bayerisches Erlebnis, wurde erwähnt – daß aber ihre Eltern dessen inne wurden, ist kaum anzunehmen.

II.

Glück. Dieser Band weist unendliche Fortschritte in ihrer Kunst auf, da sie die Haupterfordernisse eines Kunstwerks, Vision und Technik, erfüllen. An der Vervollkommnung ihrer Technik arbeitete die Autorin unablässig, und ihre Vision, das Erfassen und Hinter-die-Dinge-Schauen, vertiefte sich noch. Von den folgenden 74 Erzählungen spielen 24 in New Zealand und sind ein in den verklärenden Schleier der Erinnerung gehülltes Nacherleben der Kindheit. Doch sind sie auch eine Schilderung New Zealands und vermitteln die magische Atmosphäre, die bedrohliche, geheimnisvolle Leere des uralten Landes, das von den Siedlern noch nicht ganz zerstört wurde. Im zweiten Band spielen nur drei Geschichten in New Zealand, nämlich *Prélude*, *Der Wind weht* und *Sonne und Mond.* In *Prélude* fällt auf, daß Kezia (= Katherine) von den gleichen geheimen Ängsten wie ihre Mutter Linda verfolgt wird. Bei der Story *Der Wind weht* muß an Katherines ständige Angst vor starkem Wind erinnert werden, ebenso an das innige Verhältnis zum Bruder Leslie, mit dem sie auf Traumreisen geht. – In einem Brief an Murry schrieb Katherine einmal, daß sie den Anstoß zum Schreiben entweder von der Freude an der Schönheit der Natur oder durch das Entsetzen über die Korruptheit der Welt empfängt. Dafür sind die beiden Pariser Geschichten ein Beispiel: die Freude des jungen Malers in *Feuille d'Album* am Blick aus seinem Fenster ist ebenso echt wie das Entsetzen über die Verderbtheit Raouls (der eine Karikatur Carcos ist) in *Je ne parle pas Français*. – In der Story *Die kleine Gouvernante* wird nicht nur die Korruptheit gegeißelt, sondern auch die tragikomische Folge übergroßer Ängstlichkeit. Daß die Gouvernante nicht die Uhr erblickt und damit ihrer Verspätung inne würde, ist wenig wahrscheinlich. – Die beiden Stories *Beim Film* und *Glück* spiegeln den Ekel wider, den die Dichterin in ihrer Londoner Zeit häufig empfand. *Glück* wurde von Virginia Woolf und ihren Nachbetern verurteilt: ›Jetzt ist sie erledigt‹, schrieb sie über Katherine in ihr Tagebuch. Die Erzählung enthält in konzentriertester Form Katherines Abscheu vor dem Society-Getue und der albernen Geschraubtheit der Bloomsbury-Gruppe. Ihre Biographin Saralyn R. Daly kam auf den Gedanken, daß Berthas etwas unsympathische Exaltiertheit vielleicht damit zu erklären sei, sie habe von Anfang an um die Treulosigkeit ihres Mannes gewußt. Die Geschichte *Gewürzgurke* mag auch auf eine Londoner Enttäuschung zurückgehen: der ›Held‹ war ein polnischer Erpresser. – *Mr. Reginald Peacock* wird einstimmig als Katherines erster Mann, der Sänger Bowden, angesehen. – Liest man *Psychologie*, dann wird man in Katherines Wohnung versetzt, und am Schluß taucht die demütige Ida auf. (Ida Baker = Leslie Moore = L. M.) Zu der Erzählung *Mann ohne Temperament* fühlte Katherine sich gedrängt, als sie Murry schildern wollte, wie er gehandelt hätte, wenn er bei ihr geblieben wäre. Die Einschiebsel erinnern an Murrys Entsetzen, als er hörte, daß seine Frau zwei Jahre in einem andern Klima verbringen müßte. – Großartig ist die *Rettung* des unter einer Xanthippe leidenden Ehemannes durch einen Baum und eine Stimme dargestellt.

III.

Das Gartenfest: Mit der berühmten Titelgeschichte versetzt dieser Band den Leser wieder in die ihrer Stellung bewußte Wellingtoner Familie, in der nur Laura (= Katherine) ein ›fühlendes Herz‹ unter den andern fröhlichen Masken hat. – Die zwölf Episoden in *An der Bucht* berichten kein chronologisch fortlaufendes Geschehen, sondern entwickeln im Laufe eines Tages den Gemütszustand jedes einzelnen Familienmitgliedes und werden durch ein versteckt mitschwingendes Thema zusammengehalten, das Lied vom Leben und vom Tod. – Auch *Die ideale Familie* tritt in New Zealand auf: das prunkvolle Haus könnte an der Fitzherbert's Terrace liegen. – *Die Seereise* evoziert ein häufig wiederkehrendes Erlebnis der Beauchampschen Kinder. – *Der Fremde* schildert nicht nur einen neuseeländischen Hafen, sondern auch den Charakter von Katherines Eltern – vom egoistischen Vater und der distanziert lebenden Mutter. – *Die Singstunde* porträtiert mit sichtlichem Vergnügen eine Lehrerin in Katherines Privatschule. – *Herr Tauber und Frau Taube* können sehr wohl in einem der schönen Gärten an der Tinakori Road auftreten, und ebenso findet *Ihr erster Ball* in New Zealand statt und schildert meisterhaft den Zusammenprall von Unschuld und Erfahrung, der aber der jungen Eulen-Freundin noch nichts Ernstliches anhaben kann. – Die restlichen Erzählungen dieses dritten Bandes versetzen den Leser wieder nach Europa, teils nach Monaco, teils nach Paris und teils nach London – eine jede meisterhaft: *Das junge Mädchen*, *Miss Brill* und *Die Töchter des jüngst verstorbenen Colonel Pinner*. – *Marriage à la mode* spielt an der Südküste Englands und verurteilt eine Frau, die ihren Mann seelisch verrät. In kaum deutlich ausgesprochener Weise ergreift die Autorin Partei für die Unterdrückten. – Die Skizze vom *Bankfeiertag* beweist, wie die Autorin ihre Umwelt mit allen Sinnen aufnahm, und wie ihr auch die komischen Seiten des Alltags nicht entgingen.

IV.

Der erste nach ihrem Tode veröffentlichte Band *Das Taubennest* beginnt mit der entzückenden Erzählung *Das Puppenhaus* abermals in der Umgebung der jungen Katherine (hier Kezia genannt) und erschüttert durch den perfekten Schluß, die unbeholfenen Worte der kleinen Lil: ›*I seen the little lamp!*‹ – *Flitterwochen* rührt an das alte Problem: die Bitternis des Lebens in der Herrlichkeit dieser Welt. – *Eine Tasse Tee* prangert wieder eine oberflächliche englische Dame an. – Die drei folgenden Stories spielen in New Zealand; in den Gärten des Klosters hat Katherine als Backfisch oft selber mit einem Buch gesessen: (Den Schleier nehmen). – Weit wichtiger wurde die Geschichte vom *Kanarienvogel* genommen, die manche als ausgezeichnet und andere als sentimental empfinden, die aber vor allem wegen ihrer gekonnten Erzähltechnik – mit nur einer sprechenden und einer angesprochenen, stummen Person – gerühmt werden muß. – Über die Erzählung *Die Fliege* sind Abhandlungen in allen Sprachen geschrieben worden: spiegelt sie Katherines verborgene Grausamkeit wider – oder will der seines Sohnes beraubte Vater die Fliege überhaupt nicht töten, sondern ihren Lebensmut herausfordern? – Von den übrigen Erzählungen des Bandes erklärt Murry, der Herausgeber, er wisse nicht, welche von ihnen Katherine aufgenommen und welche sie zurückgestellt hätte, wäre ihr die Entscheidung gewährt worden. Mancher Kritiker glaubt, Murry habe mit seinem Drang, nicht die kleinste Zeile von Katherines Werk wegzulassen, der Autorin einen schlechten Dienst erwiesen. Doch niemand möchte die Anfänge vom *Taubenhaus*, von der *Geschichte eines verheirateten Mannes* und von *Vater und die Mädchen* missen.

V.

Im Band *Etwas Kindliches, aber sehr Natürliches* finden sich mindestens sieben Erzählungen, die wieder auf Jugenderinnerungen zurückgehen und von denen drei die unerbittlich grausame Natur im Landesinnern heraufbeschwören. – Die Geschichte *Die Blume Sicherheit* führt aus, was in der Erzählung vom *Mann ohne Temperament* nur angedeutet wurde: die Feigheit des Mannes, der Mut oder vielmehr die Tapferkeit der Frau. Drei Geschichten spielen in Genf: alle drei kennzeichnet ein sanfter Humor: *Pension Séguin*, *Violet* und *Bains*

Turcs. – In etwa fünf Erzählungen kommt ein neues Element zur Geltung – der Krieg und seine Sinnlosigkeit –, nur zwischen den Zeilen zu lesen in den *Frühlingsbildern*, wo eine Frau zaudert, sich in den Kanal zu stürzen, deutlicher im *Vorstadtmärchen* mit den verhungerten Kindern, ganz kraß und empört in dem einseitigen Gespräch im *Autobus*, und wieder meisterhaft durch Symbole in der *Unbesonnenen Reise* dargestellt. Denn *das* hat Katherine Mansfield der Gruppe um Virginia Woolf vor allem vorgeworfen: daß der Krieg so wenig Eindruck auf sie gemacht hat. Aber schließlich haben sie ja auch nicht wegen Geldmangel hungern müssen.
Die Titelgeschichte *Etwas Kindliches, aber sehr Natürliches* mag viel zu rätseln aufgeben. Wer dem Helden grollt oder den Schluß für unbefriedigend hält, muß bedenken, daß dieser junge Mensch nicht aus seiner Traumwelt erwachen *darf*. – Der erstaunliche Fund ist die letzte vollständige Erzählung Katherine Mansfields. Sie wurde zum erstenmal in den *Complete Stories* der Golden Press, Avondale, Auckland 1974, veröffentlicht und von dem Transkript einer Fotokopie eines Manuskriptes abgedruckt, das Katherine Mansfield ihrer Freundin Ida Baker geschenkt hatte. Dieses Manuskript wurde 1950 verkauft und ist seither verschwunden, doch vor dem Verkauf hat Ida Baker eine Fotokopie anfertigen lassen. Nach dieser Fotokopie wurde das Transkript hergestellt, was wegen Katherine Mansfield schwer leserlicher Schrift nicht leicht war, daher einige*) im Text bei unsicheren Stellen. Die Umschrift wurde von Margaret Scott vorgenommen, die Katherine Mansfields Briefe gesammelt und herausgegeben hat, als sie Ida Baker kennenlernte. In Katherines Tagebuch vom 12. Januar 1915 finden sich diese Zeilen: ›Gestern las ich Gordon *Mutige Liebe* vor. Er machte mich sehr stolz auf meine Arbeit . . .‹ Dann ging das Manuskript verloren. Die Charaktere sind so typisch, sie sind so unausweichlich in ihrer Umgebung plaziert, daß man nicht begreift, wieso die Autorin nicht gleich wußte, ›was sie davon halten solle‹ – eine Bemerkung, die übrigens ein Beweis dafür ist, wie sehr Katherine Mansfield aus einer zwingenden Eingebung heraus schrieb. Das Manuskript hatte Ida Baker gehört, und Mary Scott in Wellington gelang es, eine Fotokopie zu entziffern.

Immer wieder ringt die Autorin um den Aufbau, spielt sie mit der ›Zeit‹. Neben ihrer anfangs noch karikierenden Ironie behauptet sich schon sehr früh ihr starker Sinn für Humor, entwickelt sich bald auch ihr Mitgefühl, das sich besonders den Kindern und den alten Leuten zuwendet. Zuletzt triumphiert ihre durch Leid und Qualen errungene Erkenntnis von der Unzulänglichkeit des Menschen über ihre eigenen Schmerzen.

In ihrem Tagebuch trug sie eine Art ›Bekenntnis‹ ein:

›Dem menschlichen Leiden sind keine Grenzen gesetzt. Wenn man glaubt: »Jetzt bin ich auf dem Grunde des Meeres angelangt, tiefer kann es nicht gehen« – dann geht es noch tiefer. Und so ist es immer wieder. Man muß sich fügen. Man muß nicht Widerstand leisten. Nimm es hin! Laß dich überwältigen! Nimm es gänzlich an! Mache es zu einem Teil deines Daseins!

Alles im Leben, das wir wirklich hinnehmen, wird umgewandelt. So muß das Leiden zu Liebe werden. Das ist das Geheimnis. Das ist's, was ich tun muß. Ich muß von der persönlichen Liebe zur größeren Liebe fortschreiten. Was ich dem Einen gegeben habe, muß ich dem Leben in seiner Ganzheit geben.‹

Kinderleben

Dichter erzählen von Kindern

Zusammengestellt von Ursula Köhler

Die Dichter wissen es, daß Kindheit eine sehr schwierige, entsetzlich aufregende und anstrengende Lebensphase ist, bestimmt von intensiven und bedrohlich unbekannten Gefühlen, Gefühlen der Verzauberung, der Beglükkung und leidenschaftlicher Anteilnahme ebenso wie von verschiedensten Ängsten, Gewissensqualen und kleinen, unendlich großen Tragödien – die fast das Leben kosten, wäre da nicht der gnädige tiefe Kinderschlaf, der über »Unordnung und frühes Leid« heilsames Vergessen breitet.

Der Band enthält Erzählungen von H. Chr. Andersen, William Heinesen, Thomas Mann, Hermann Hesse, Franz Nabl, Tibor Déry, Valery Larbaud, Katherine Mansfield, Elizabeth Bowen, William Saroyan, Katherine Anne Porter, Wolfgang Borchert, Elisabeth Langgässer, Ilse Aichinger, Mark Helprin, Cristina Peri Rossi und Jamaica Kincaid.

Band 9180

fi 206/4